Сергей
ДОВЛАТОВ
1941–1990

Сергей
ДОВЛАТОВ

Чемодан

Санкт-Петербург

УДК 821.161.1
ББК 84(2Рос-Рус)6-44
Д 58

Серийное оформление Вадима Пожидаева

Иллюстрация на обложке Михаила Беломлинского

ISBN 978-5-389-01554-8

...Но и такой, моя Россия,
ты всех краев дороже мне...

Александр Блок

ПРЕДИСЛОВИЕ

В ОВИРе эта сука мне и говорит:

— Каждому отъезжающему полагается три чемодана. Такова установленная норма. Есть специальное распоряжение министерства.

Возражать не имело смысла. Но я, конечно, возразил:

— Всего три чемодана?! Как же быть с вещами?

— Например?

— Например, с моей коллекцией гоночных автомобилей?

— Продайте, — не вникая, откликнулась чиновница.

Затем добавила, слегка нахмурив брови:

— Если вы чем-то недовольны, пишите заявление.

— Я доволен, — говорю.

После тюрьмы я был всем доволен.

— Ну, так и ведите себя поскромнее...

Через неделю я уже складывал вещи. И, как выяснилось, мне хватило одного-единственного чемодана.

Я чуть не зарыдал от жалости к себе. Ведь мне тридцать шесть лет. Восемнадцать из них я работаю. Что-то зарабатываю, покупаю. Владею, как мне представлялось, некоторой собственностью. И в результате — один чемодан. Причем довольно скромного размера. Выходит, я нищий? Как же это получилось?!

Книги? Но в основном у меня были запрещенные книги. Которые не пропускает таможня. Пришлось раздать их знакомым вместе с так называемым архивом.

Рукописи? Я давно отправил их на Запад тайными путями.

Мебель? Письменный стол я отвез в комиссионный магазин. Стулья забрал художник Чегин, который до этого обходился ящиками. Остальное я выбросил.

Так и уехал с одним чемоданом. Чемодан был фанерный, обтянутый тканью, с никелированными креплениями по углам. Замок бездействовал. Пришлось обвязать мой чемодан бельевой веревкой.

Когда-то я ездил с ним в пионерский лагерь. На крышке было чернилами выведено: «Младшая группа. Сережа Довлатов». Рядом кто-то дружелюбно нацарапал: «говночист». Ткань в нескольких местах прорвалась.

Изнутри крышка была заклеена фотографиями. Рокки Марчиано, Армстронг, Иосиф Бродский, Лоллобриджида в прозрачной одежде. Таможенник пытался оторвать Лоллобриджиду ногтями. В результате только поцарапал.

А Бродского не тронул. Всего лишь спросил — кто это? Я ответил, что дальний родственник...

Шестнадцатого мая я оказался в Италии. Жил в римской гостинице «Дина». Чемодан задвинул под кровать.

Вскоре получил какие-то гонорары из русских журналов. Приобрел голубые сандалии, фланелевые джинсы и четыре льняные рубашки. Чемодан я так и не раскрыл.

Через три месяца перебрался в Соединенные Штаты. В Нью-Йорк. Сначала жил в отеле «Рио». Затем у друзей во Флашинге. Наконец снял квартиру в приличном районе. Чемодан поставил в дальний угол стенного шкафа. Так и не развязал бельевую веревку.

Прошло четыре года. Восстановилась наша семья. Дочь стала юной американкой. Родился сынок. Подрос и начал шалить. Однажды моя жена, выведенная из терпения, крикнула:

— Иди сейчас же в шкаф!

Сынок провел в шкафу минуты три. Потом я выпустил его и спрашиваю:

— Тебе было страшно? Ты плакал?

А он говорит:

— Нет. Я сидел на чемодане.

Тогда я достал чемодан. И раскрыл его.

Сверху лежал приличный двубортный костюм. В расчете на интервью, симпозиумы, лекции, торжественные приемы. Полагаю, он сгодился бы и для Нобелевской церемонии. Дальше — поплиновая рубашка и туфли, завернутые в бумагу. Под ними — вельветовая куртка на искусственном меху. Слева — зимняя шапка из фальшивого котика.

Три пары финских креповых носков. Шоферские перчатки. И наконец — кожаный офицерский ремень.

На дне чемодана лежала страница «Правды» за май восьмидесятого года. Крупный заголовок гласил: «Великому учению — жить!» В центре — портрет Карла Маркса.

Школьником я любил рисовать вождей мирового пролетариата. И особенно — Маркса. Обыкновенную кляксу размазал — уже похоже...

Я оглядел пустой чемодан. На дне — Карл Маркс. На крышке — Бродский. А между ними — пропащая, бесценная, единственная жизнь.

Я закрыл чемодан. Внутри гулко перекатывались шарики нафталина. Вещи пестрой грудой лежали на кухонном столе. Это было все, что я нажил за тридцать шесть лет. За всю мою жизнь на родине. Я подумал — неужели это все? И ответил — да, это все.

И тут, как говорится, нахлынули воспоминания. Наверное, они таились в складках этого убогого тряпья. И теперь вырвались наружу. Воспоминания, которые следовало бы назвать — «От Маркса к Бродскому». Или, допустим, — «Что я нажил». Или, скажем, просто — «Чемодан»...

Но, как всегда, предисловие затянулось.

КРЕПОВЫЕ ФИНСКИЕ НОСКИ

Эта история произошла восемнадцать лет тому назад. Я был в ту пору студентом Ленинградского университета.

Корпуса университета находились в старинной части города. Сочетание воды и камня порождает здесь особую, величественную атмосферу. В подобной обстановке трудно быть лентяем, но мне это удавалось.

Существуют в мире точные науки. А значит, существуют и неточные. Среди неточных, я думаю, первое место занимает филология. Так я превратился в студента филфака.

Через неделю меня полюбила стройная девушка в импортных туфлях. Звали ее Ася.

Ася познакомила меня с друзьями. Все они были старше нас — инженеры, журналисты, кинооператоры. Был среди них даже один заведующий магазином.

Эти люди хорошо одевались. Любили рестораны, путешествия. У некоторых были собственные автомашины.

Все они казались мне тогда загадочными, сильными и привлекательными. Я хотел быть в этом кругу своим человеком.

Позднее многие из них эмигрировали. Сейчас это нормальные пожилые евреи.

Жизнь, которую мы вели, требовала значительных расходов. Чаще всего они ложились на плечи Асиных друзей. Меня это чрезвычайно смущало.

Вспоминаю, как доктор Логовинский незаметно сунул мне четыре рубля, пока Ася заказывала такси...

Всех людей можно разделить на две категории. На тех, кто спрашивает. И на тех, кто отвечает. На тех, кто задает вопросы. И на тех, кто с раздражением хмурится в ответ.

Асины друзья не задавали ей вопросов. А я только и делал, что спрашивал:

— Где ты была? С кем поздоровалась в метро? Откуда у тебя французские духи?..

Большинство людей считает неразрешимыми те проблемы, решение которых мало их устраивает. И они без конца задают вопросы, хотя правдивые ответы им совершенно не требуются...

Короче, я вел себя назойливо и глупо.

У меня появились долги. Они росли в геометрической прогрессии. К ноябрю они достигли восьмидесяти рублей — цифры, по тем временам чудовищной.

Я узнал, что такое ломбард, с его квитанциями, очередями, атмосферой печали и бедности.

Пока Ася была рядом, я мог не думать об этом. Стоило нам проститься, и мысль о долгах наплывала, как туча.

Я просыпался с ощущением беды. Часами не мог заставить себя одеться. Всерьез планировал ограбление ювелирного магазина.

Я убедился, что любая мысль влюбленного бедняка – преступна.

К тому времени моя академическая успеваемость заметно снизилась. Ася же и раньше была неуспевающей. В деканате заговорили про наш моральный облик.

Я заметил – когда человек влюблен и у него долги, то предметом разговоров становится его моральный облик.

Короче, все было ужасно.

Однажды я бродил по городу в поисках шести рублей. Мне необходимо было выкупить зимнее пальто из ломбарда. И я повстречал Фреда Колесникова.

Фред курил, облокотясь на латунный поручень Елисеевского магазина. Я знал, что он фарцовщик. Когда-то нас познакомила Ася.

Это был высокий парень лет двадцати трех с нездоровым оттенком кожи. Разговаривая, он нервно приглаживал волосы.

Я, не раздумывая, подошел:

– Нельзя ли попросить у вас до завтра шесть рублей?

Занимая деньги, я всегда сохранял немного развязный тон, чтобы людям проще было мне отказать.

— Элементарно, — сказал Фред, доставая небольшой квадратный бумажник.

Мне стало жаль, что я не попросил больше.

— Возьмите больше, — сказал Фред.

Но я, как дурак, запротестовал.

Фред посмотрел на меня с любопытством.

— Давайте пообедаем, — сказал он. — Хочу вас угостить.

Он держался просто и естественно. Я всегда завидовал тем, кому это удается.

Мы прошли три квартала до ресторана «Чайка». В зале было пустынно. Официанты курили за одним из боковых столиков.

Окна были распахнуты. Занавески покачивались от ветра.

Мы решили пройти в дальний угол. Но тут Фреда остановил юноша в серебристой дакроновой куртке. Состоялся несколько загадочный разговор:

— Приветствую вас.

— Мое почтение, — ответил Фред.

— Ну как?

— Да ничего.

Юноша разочарованно приподнял брови:

— Совсем ничего?

— Абсолютно.

— Я же вас просил.

— Мне очень жаль.

— Но я могу рассчитывать?

— Бесспорно.

— Хорошо бы в течение недели.

— Постараюсь.

— Как насчет гарантий?
— Гарантий быть не может. Но я постараюсь.
— Это будет — фирма?
— Естественно.
— Так что — звоните.
— Непременно.
— Вы помните мой номер телефона?
— К сожалению, нет.
— Запишите, пожалуйста.
— С удовольствием.
— Хоть это и не телефонный разговор.
— Согласен.
— Может быть, заедете прямо с товаром?
— Охотно.
— Помните адрес?
— Боюсь, что нет...

И так далее.

Мы прошли в дальний угол. На скатерти выделялись четкие линии от утюга. Скатерть была шершавая.

Фред сказал:

— Обратите внимание на этого фраера. Год назад он заказал мне партию дельбанов с крестом...

Я перебил его:

— Что такое — дельбаны с крестом?

— Часы, — ответил Фред, — не важно... Я раз десять приносил ему товар — не берет. Каждый раз придумывает новые отговорки. Короче, так и не подписался. Я все думал — что за номера? И вдруг уяснил, что он не хочет ПОКУПАТЬ мои дельбаны с крестом. Он хочет чувствовать себя бизнесменом, которому нужна партия фирменного товара. Хочет без конца задавать мне вопрос: «Как то, о чем я просил?»...

Официантка приняла заказ. Мы закурили, и я поинтересовался:

— А вас не могут посадить?

Фред подумал и спокойно ответил:

— Не исключено. Свои же и продадут, — добавил он без злости.

— Так, может, завязать?

Фред нахмурился:

— Когда-то я работал экспедитором. Жил на девяносто рублей в месяц...

Тут он неожиданно приподнялся и воскликнул:

— Это — уродливый цирковой номер!

— Тюрьма не лучше.

— А что делать? Способностей у меня нет. Уродоваться за девяносто рублей я не согласен... Ну хорошо, съем я в жизни две тысячи котлет. Изношу двадцать пять темно-серых костюмов. Перелистаю семьсот номеров журнала «Огонек». И все? И сдохну, не поцарапав земной коры?.. Уж лучше жить минуту, но по-человечески!..

Тут нам принесли еду и выпивку.

Мой новый друг продолжал философствовать:

— До нашего рождения — бездна. И после нашей смерти — бездна. Наша жизнь — лишь песчинка в равнодушном океане бесконечности. Так попытаемся хотя бы данный миг не омрачать унынием и скукой! Попытаемся оставить царапину на земной коре. А лямку пусть тянет человеческий середняк.

Все равно он не совершает подвигов. И даже не совершает преступлений...

Я чуть не крикнул Фреду: «Так совершали бы подвиги!» Но сдержался. Все-таки я пил за его счет.

Мы просидели в ресторане около часа. Потом я сказал:

— Надо идти. Ломбард закрывается.

И тогда Фред Колесников сделал мне предложение:

— Хотите в долю? Я работаю осторожно, валюту и золото не беру. Поправите финансовые дела, а там можно и соскочить. Короче, подписывайтесь... Сейчас мы выпьем, а завтра поговорим...

Назавтра я думал, что мой приятель обманет. Но Фред всего лишь опоздал. Мы встретились около бездействующего фонтана перед гостиницей «Астория». Потом отошли в кусты. Фред сказал:

— Через минуту придут две финки с товаром. Берите тачку и езжайте с ними по этому адресу... Мы, кажется, на «вы»?

— На «ты», естественно, что за церемонии?

— Бери мотор и езжай по этому адресу.

Фред сунул мне обрывок газеты и продолжал:

— Тебя встретит Рымарь. Узнать его просто. У Рымаря идиотская харя плюс оранжевый свитер. Через десять минут появлюсь я. Все будет о'кей!

— Я же не говорю по-фински.

— Это не важно. Главное — улыбайся. Я бы сам поехал, но меня тут знают...

Фред схватил меня за руку:

— Вот они! Действуй!

И пропал за кустами.

Страшно волнуясь, я пошел навстречу двум женщинам. Они были похожи на крестьянок, с широкими загорелыми лицами. На женщинах были светлые плащи, элегантные туфли и яркие косынки. Каждая несла хозяйственную сумку, раздувшуюся вроде футбольного мяча.

Бурно жестикулируя, я наконец подвел женщин к стоянке такси. Очереди не было. Я без конца повторял: «Мистер Фред, мистер Фред...» — и трогал одну из женщин за рукав.

— Где этот тип, — вдруг рассердилась женщина, — куда он делся? Чего он нам голову морочит?!

— Вы говорите по-русски?

— Мамочка русская была.

Я сказал:

— Мистер Фред будет чуть позже. Мистер Фред просил отвезти вас к нему домой.

Подъехала машина. Я продиктовал адрес. Потом начал смотреть в окно. Не думал я, что среди прохожих такое количество милиционеров.

Женщины говорили между собой по-фински. Было ясно, что они недовольны. Затем они рассмеялись, и мне стало полегче.

На тротуаре меня поджидал человек в огненном свитере. Он сказал, подмигнув:

— Ну и хари!

— Ты на себя взгляни, — рассердилась Илона, которая была помоложе.

— Они говорят по-русски, — сказал я.

— Отлично, — не смутился Рымарь, — замечательно. Это сближает. Как вам нравится Ленинград?

— Ничего себе, — ответила Марья.

— В Эрмитаже были?

— Нет еще. А где это?

— Это где картины, сувениры и прочее. А раньше там жили цари.

— Надо бы взглянуть, — сказала Илона.

— Не были в Эрмитаже! — сокрушался Рымарь.

Он даже слегка замедлил шаги. Как будто ему претила дружба с такими некультурными женщинами.

Мы поднялись на второй этаж. Рымарь толкнул дверь, которая была не заперта. Всюду громоздилась посуда. Стены были увешаны фотографиями. На диване лежали яркие конверты от заграничных пластинок. Постель была не убрана.

Рымарь зажег свет и быстро навел порядок. Затем он спросил:

— Что за товар?

— Лучше ответь, где твой приятель с деньгами?

В ту же минуту раздались шаги и появился Фред Колесников. В руке он нес газету, которую достал из почтового ящика. Вид у него был спокойный и даже равнодушный.

— Терве, — сказал он финкам, — здравствуйте.

Затем повернулся к Рымарю:

— Ну и мрачные физиономии! Ты к ним приставал?

— Я?! — возмутился Рымарь. — Мы говорили о прекрасном! Кстати, они волокут по-русски.

— Отлично, — сказал Фред, — добрый вечер, госпожа Ленарт, как поживаете, Илона-барышня?

— Ничего, спасибо.

— Зачем вы скрыли, что говорите по-русски?

— А кто нас спрашивал?

— Сначала надо выпить, — заявил Рымарь.

Он достал из шкафа бутылку кубинского рома. Финки с удовольствием выпили. Рымарь снова налил.

Когда гостьи пошли в уборную, Рымарь сказал:

— Все чухонки — на одно лицо.

— Тем более что они — родные сестры, — пояснил Фред.

— Так я и думал... Кстати, физиономия этой госпожи Ленарт не внушает мне доверия.

Фред прикрикнул на Рымаря:

— А чья физиономия внушает тебе доверие, кроме физиономии следователя?

Финки быстро вернулись. Фред дал им чистое полотенце. Они подняли фужеры и улыбнулись — второй раз за целый день.

Хозяйственные сумки они держали на коленях.

— Ура, — сказал Рымарь, — за победу над Германией!

Мы выпили, и финки тоже. На полу стояла радиола, и Фред включил ее ногой. Черный диск слегка покачивался.

— Ваш любимый писатель? — надоедал финкам Рымарь.

Женщины посовещались между собой. Затем Илона сказала:

— Возможно, Карьялайнен.

Рымарь снисходительно улыбнулся, давая понять, что одобряет названную кандидатуру. Однако сам претендует на большее.

— Ясно, — сказал он, — а что за товар?

— Носки, — ответила Марья.

— И больше ничего?

— А чего бы ты хотел?

— Сколько? — поинтересовался Фред.

— Четыреста тридцать два рубля, — отчеканила младшая, Илона.

— Майн гот! — воскликнул Рымарь. — Это же звериный оскал капитализма!

— Меня интересует — сколько пар? — отстранил его Фред.

— Семьсот двадцать.

— Креп-найлон? — требовательно вставил Рымарь.

— Синтетика, — ответила Илона, — шестьдесят копеек пара. Всего — четыреста тридцать два рубля...

Тут я должен сделать небольшую математическую выкладку. Креповые носки тогда были в моде. Советская промышленность таких не выпускала. Купить их можно было только на черном рынке. Стоила пара финских носков — шесть рублей. А у финнов их можно было приобрести за шестьдесят копеек. Девятьсот процентов чистого заработка...

Фред вынул бумажник и отсчитал деньги.

— Вот, — сказал он, — еще двадцать рублей. Товар оставьте прямо в сумках.

— Надо выпить, — вставил Рымарь, — за мирное урегулирование Суэцкого кризиса! За присоединение Эльзаса и Лотарингии!

Илона переложила деньги в левую руку. Взяла наполненный до краев стакан.

— Давайте трахнем этих финок, — прошептал Рымарь, — в целях международного единства.

Фред повернулся ко мне:

— Видишь, с кем приходится дело иметь!

Я испытывал чувство беспокойства и страха. Мне хотелось поскорее уйти.

— Ваш любимый художник? — спрашивал Рымарь Илону.

При этом он клал ей руку на спину.

— Возможно, Маантере, — говорила Илона, отодвигаясь.

Рымарь укоризненно приподнимал брови. Словно его эстетическое чувство было немного задето.

Фред сказал:

— Надо проводить женщин и дать водителю семь рублей. Я бы послал Рымаря, но он зажилит часть денег.

— Я?! — возмутился Рымарь. — С моей кристальной честностью?!.

Когда я вернулся, повсюду лежали разноцветные целлофановые свертки. Рымарь казался немного сумасшедшим.

— Пиастры, кроны, доллары, — твердил он, — франки, иены...

Потом вдруг успокоился, достал записную книжку и фломастер. Что-то подсчитал и говорит:

— Ровно семьсот двадцать пар. Финны — честный народ. Вот что значит — слаборазвитое государство...

— Помножь на три, — сказал ему Фред.

— Как это — на три?

— Носки уйдут по трешке, если сдать их оптом. Полтора куска с довеском чистого навара.

Рымарь быстро уточнил:

— Тысяча семьсот двадцать восемь рублей.

Безумие уживалось в нем с практицизмом.

— Пятьсот с чем-то на брата, — добавил Фред.

— Пятьсот семьдесят шесть, — вновь уточнил Рымарь...

Позже мы оказались с Фредом в шашлычной. Клеенка на столе была липкая. Вокруг стоял какой-то жирный туман. Люди проплывали мимо, как рыбы в аквариуме.

Фред выглядел рассеянным и мрачным. Я сказал:

— В пять минут такие деньги!

Надо же было что-то сказать.

— Все равно, — ответил Фред, — будешь сорок минут дожидаться, когда тебе принесут чебуреки на маргарине.

Тогда я спросил:

— Зачем я тебе нужен?

— Я Рымарю не доверяю. Не потому, что Рымарь может обокрасть клиента. Хотя такое не исключено. И не потому, что Рымарь может зарядить клиенту старые облигации вместо денег. И даже не потому, что он склонен трогать клиента руками. А потому, что Рымарь — дурак. Что губит дурака? Тяга к прекрасному. Рымарь тянется к прекрасному. Вопреки своей исторической обреченности, Рымарь хочет японский транзистор. Рымарь идет в магазин «Березка», протягивает кассиру сорок долларов. Это с его-то рожей! Да он в банальном гастрономе рубль протягивает, и то кассир не сомневается, что рубль украден. А тут — сорок долларов! Нарушение правил валютных операций. Готовая статья... Рано или поздно он сядет.

— А я? — спрашиваю.

— Ты — нет. У тебя будут другие неприятности.

Я не стал уточнять — какие.

Прощаясь, Фред сказал:

— В четверг получишь свою долю.

Я уехал домой в каком-то непонятном состоянии. Я испытывал смешанное чувство беспокойства и азарта. Наверное, есть в шальных деньгах какая-то гнусная сила.

Асе я не рассказал о моем приключении. Мне хотелось ее поразить. Неожиданно превратиться в богатого и размашистого человека.

Между тем дела с ней шли все хуже. Я без конца задавал ей вопросы. Даже когда я поносил ее знакомых, то употреблял вопросительную форму:

— Не кажется ли тебе, что Арик Шульман просто глуп?..

Я хотел скомпрометировать Шульмана в Асиных глазах, достигая, естественно, противоположной цели.

Скажу, забегая вперед, что осенью мы расстались. Ведь человек, который беспрерывно спрашивает, должен рано или поздно научиться отвечать...

В четверг позвонил Фред:

— Катастрофа!

— Что такое?

Я подумал, что арестовали Рымаря.

— Хуже, — сказал Фред, — зайди в ближайший галантерейный магазин.

— Зачем?

— Все магазины завалены креповыми носками. Причем советскими креповыми носками. Восемьдесят копеек — пара. Качество не хуже, чем у финских. Такое же синтетическое дерьмо...

— Что же делать?

— Да ничего. А что тут можно сделать? Кто мог ждать такой подлянки от социалистической экономики?!. Кому я теперь отдам финские носки? Да их по рублю не возьмут! Знаю я нашу блядскую промышленность! Сначала она двадцать лет кочумает, а потом вдруг — раз! И все магазины забиты какой-нибудь одной хреновиной. Если уж зарядили поточную линию, то всё. Будут теперь штамповать эти креповые носки — миллион пар в секунду...

Носки мы в результате поделили. Каждый из нас взял двести сорок пар. Двести сорок пар одинаковых креповых носков безобразной гороховой расцветки. Единственное утешение — клеймо «Мейд ин Финланд».

После этого было многое. Операция с плащами «болонья». Перепродажа шести немецких стереоустановок. Драка в гостинице «Космос» из-за ящика американских сигарет. Бегство от милицейского наряда с грузом японского фотооборудования. И многое другое.

Я расплатился с долгами. Купил себе приличную одежду. Перешел на другой факультет. Познакомился с девушкой, на которой впоследствии женился. Уехал на месяц в Прибалтику, когда арестовали Рымаря и Фреда. Начал делать робкие литературные попытки. Стал отцом. Добился конфронтации с властями. Потерял работу. Месяц просидел в Каляевской тюрьме.

И лишь одно было неизменным. Двадцать лет я щеголял в гороховых носках. Я дарил их всем своим знакомым. Хранил в них елочные игрушки. Вытирал ими пыль. Затыкал носками щели в оконных рамах. И все же количество этой дряни почти не уменьшалось.

Так я и уехал, бросив в пустой квартире груду финских креповых носков. Лишь три пары сунул в чемодан.

Они напомнили мне криминальную юность, первую любовь и старых друзей. Фред, отсидев два года, разбился на мотоцикле «Чизетта». Рымарь отсидел год и служит диспетчером на мясокомбинате. Ася благополучно эмигрировала и преподает лексикологию в Стэнфорде. Что весьма странно характеризует американскую науку.

НОМЕНКЛАТУРНЫЕ ПОЛУБОТИНКИ

Я должен начать с откровенного признания. Ботинки эти я практически украл...

Двести лет назад историк Карамзин побывал во Франции. Русские эмигранты спросили его:

— Что, в двух словах, происходит на родине?

Карамзину и двух слов не понадобилось.

— Воруют, — ответил Карамзин...

Действительно воруют. И с каждым годом все размашистей.

С мясокомбината уносят говяжьи туши. С текстильной фабрики — пряжу. С завода киноаппаратуры — линзы.

Тащат всё: кафель, гипс, полиэтилен, электромоторы, болты, шурупы, радиолампы, нитки, стекла.

Зачастую все это принимает метафизический характер. Я говорю о совершенно загадочном воровстве без какой-либо разумной цели. Такое, я уверен, бывает лишь в российском государстве.

Я знал тонкого, благородного, образованного человека, который унес с предприятия ведро цементного раствора. В дороге раствор, естественно, затвердел. Похититель выбросил каменную глыбу неподалеку от своего дома.

Другой мой приятель взломал агитпункт. Вынес избирательную урну. Притащил ее домой и успокоился. Третий мой знакомый украл огнетушитель. Четвертый унес из кабинета своего начальника бюст Поля Робсона. Пятый — афишную тумбу с улицы Шкапина. Шестой — пюпитр из клуба самодеятельности.

Я, как вы сможете убедиться, действовал гораздо практичнее. Я украл добротные советские ботинки, предназначенные на экспорт. Причем украл я их не в магазине, разумеется. В советском магазине нет таких ботинок. Стащил я их у председателя ленинградского горисполкома. Короче говоря, у мэра Ленинграда.

Однако мы забежали вперед.

Демобилизовавшись, я поступил в заводскую многотиражку. Прослужил в ней три года. Понял, что идеологическая работа не для меня.

Мне захотелось чего-то более непосредственного. Далекого от нравственных сомнений.

Я припомнил, что когда-то занимался в художественной школе. Между прочим, в той же самой, которую окончил известный художник Шемякин. Какие-то навыки у меня сохранились.

Знакомые устроили меня по блату в ДПИ (Комбинат декоративно-прикладного искусства). Я стал учеником камнереза. Решил утвердиться на поприще монументальной скульптуры.

Увы, монументальная скульптура — жанр весьма консервативный. Причина этого — в самой ее монументальности.

Можно тайком писать романы и симфонии. Можно тайно экспериментировать на холсте. А вот попытайтесь-ка утаить четырехметровую скульптуру. Не выйдет!

Для такой работы необходима просторная мастерская. Значительные подсобные средства. Целый штат ассистентов, формовщиков, грузчиков. Короче, требуется официальное признание. А значит — полная благонадежность. И никаких экспериментов...

Побывал я однажды в мастерской знаменитого скульптора. По углам громоздились его незавершенные работы. Я легко узнал Юрия Гагарина, Маяковского, Фиделя Кастро. Пригляделся и замер — все они были голые. То есть абсолютно голые. С добросовестно вылепленными задами, половыми органами и рельефной мускулатурой.

Я похолодел от страха.

— Ничего удивительного, — пояснил скульптор, — мы же реалисты. Сначала лепим анатомию. Потом одежду...

Зато наши скульпторы — люди богатые. Больше всего они получают за изображение Ленина. Даже трудоемкая борода Карла Маркса оплачивается не так щедро.

Памятник Ленину есть в каждом городе. В любом районном центре. Заказы такого рода — неистощимы. Опытный скульптор может вылепить Ленина вслепую. То есть с завязанными глазами. Хотя бывают и курьезы. В Челябинске, например, произошел такой случай.

В центральном сквере, напротив здания горсовета, должны были установить памятник Ленину. Организовали торжественный митинг. Собралось тысячи полторы народу.

Звучала патетическая музыка. Ораторы произносили речи.

Памятник был накрыт серой тканью.

И вот наступила решающая минута. Под грохот барабанов чиновники местного исполкома сдернули ткань.

Ленин был изображен в знакомой позе — туриста, голосующего на шоссе. Правая его рука указывала дорогу в будущее. Левую он держал в кармане распахнутого пальто.

Музыка стихла. В наступившей тишине кто-то засмеялся. Через минуту хохотала вся площадь.

Лишь один человек не смеялся. Это был ленинградский скульптор Виктор Дрыжаков. Выражение ужаса на его лице постепенно сменилось гримасой равнодушия и безысходности.

Что же произошло? Несчастный скульптор изваял две кепки. Одна покрывала голову вождя. Другую Ленин сжимал в кулаке.

Чиновники поспешно укутали бракованный монумент серой тканью.

Наутро памятник был вновь обнародован. За ночь лишнюю кепку убрали...

Мы снова отвлеклись.

Монументы рождаются так. Скульптор лепит глиняную модель. Формовщик отливает ее в гипсе. Потом за дело берутся камнерезы.

Есть гипсовая фигура. И есть бесформенная мраморная глыба. Необходимо, как говорится, убрать все лишнее. Абсолютно точно скопировать гипсовый прообраз.

Для этого имеются специальные устройства, так называемые пунктир-машины. С помощью этих машин на камне делаются тысячи зарубок. То есть определяются контуры будущего монумента.

Затем камнерез вооружается небольшим перфоратором. Стесывает грубые напластования мрамора. Берется за киянку и скарпель (нечто вроде молотка и зубила). Предстоит завершающий этап, филигранная, ответственная работа.

Камнерез обрабатывает мраморную поверхность. Одно неверное движение — и конец. Ведь строение мрамора подобно древесной фактуре. В мраморе есть хрупкие слои, затвердения, трещины. Есть прочные фактурные сгустки. (Что-то вроде древесных сучков.) Есть многочисленные вкрапления иной породы. И так далее. В общем, дело это кропотливое и непростое.

Меня зачислили в бригаду камнерезов. Нас было трое. Бригадира звали Осип Лихачев. Его помощника и друга — Виктор Цыпин. Оба были мастерами своего дела и, разумеется, горькими пьяницами.

При этом Лихачев выпивал ежедневно, а Цыпин страдал хроническими запоями. Что не мешало Лихачеву изредка запивать, а Цыпину опохмеляться при каждом удобном случае.

Лихачев был хмурый, сдержанный, немногословный. Он часами молчал, а затем вдруг произносил короткие и совершенно неожиданные речи. Его монологи были продолжением тяжких внутренних раздумий. Он восклицал, резко поворачиваясь к любому случайному человеку:

— Вот ты говоришь — капитализм, Америка, Европа! Частная собственность!.. У самого последнего чучмека — легковой автомобиль!.. А доллар, извиняюсь, все же падает!..

— Значит, есть куда падать, — весело откликался Цыпин, — уже неплохо. А твоему засраному рублю и падать некуда...

Однако Лихачев не реагировал, снова погрузившись в безмолвие.

Цыпин, наоборот, был разговорчивым и добродушным человеком. Ему хотелось спорить.

— Дело не в машине, — говорил он, — я сам автолюбитель... Главное при капитализме — свобода. Хочешь — пьешь с утра до ночи. Хочешь — вкалываешь круглые сутки. Никакого идейного воспитания. Никакой социалистической морали. Кругом журналы с голыми девками... Опять же — политика. Допустим, не понравился тебе какой-нибудь министр — отлично. Пишешь в редакцию: министр — говно! Любому президенту можно в рожу наплевать. О вице-президентах я уж и не говорю... А машина и здесь не такая большая редкость. У меня с шестидесятого года «Запорожец», а что толку?..

Действительно, Цыпин купил «Запорожец». Однако, будучи хроническим пьяницей, месяцами не садился за руль. В ноябре машину засыпало снегом. «Запорожец» превратился в небольшую снежную гору. Около нее всегда толпились дворовые ребята.

Весной снег растаял. «Запорожец» стал плоским, как гоночная машина. Крыша его была продавлена детскими санками.

Цыпин этому почти обрадовался:

— За рулем я обязан быть трезвым. А в такси я и пьяный доеду...

Такие вот попались мне учителя.

Вскоре мы получили заказ. Причем довольно выгодный и срочный. Бригаде предстояло вырубить рельефное изображение Ломоносова для новой станции метро. Скульптор Чудновский быстро изготовил модель. Формовщики отлили ее в гипсе. Мы пришли взглянуть на это дело.

Ломоносов был изображен в каком-то подозрительном халате. В правой руке он держал бумажный свиток. В левой — глобус. Бумага, как я понимаю, символизировала творчество, а глобус — науку.

Сам Ломоносов выглядел упитанным, женственным и неопрятным. Он был похож на свинью. В сталинские годы так изображали капиталистов. Видимо, Чудновскому хотелось утвердить примат материи над духом.

А вот глобус мне понравился. Хотя почему-то он был развернут к зрителям американской стороной.

Скульптор добросовестно вылепил миниатюрные Кордильеры, Аппалачи, Гвианское нагорье. Не забыл про озера и реки — Гурон, Атабаска, Манитоба...

Выглядело это довольно странно. В эпоху Ломоносова такой подробной карты Америки, я думаю, не существовало. Я сказал об этом Чудновскому. Скульптор рассердился:

— Вы рассуждаете, как десятиклассник! А моя скульптура — не школьное пособие! Перед вами — шестая инвенция Баха, запечатленная в мраморе. Точнее, в гипсе... Последний крик метафизического синтетизма!..

— Коротко и ясно, — вставил Цыпин.

— Не спорь, — шепнул мне Лихачев, — какое твое дело?

Неожиданно Чудновский смягчился:

— А может, вы правы. И все же — оставим как есть. В каждой работе необходима минимальная доля абсурда...

Мы принялись за дело. Сначала работали на комбинате. Потом оказалось, что нужно спешить. Станцию решено было запустить к ноябрьским праздникам.

Пришлось заканчивать работу на месте. То есть под землей.

На станции «Ломоносовская» шли отделочные работы. Здесь трудились каменщики, электрики, штукатуры. Бесчисленные компрессоры производили адский шум. Пахло жженой резиной и мокрой известкой. В металлических бочках горели костры.

Нашу модель бережно опустили под землю. Установили ее на громадных дубовых козлах. Рядом висела на цепях четырехтонная мраморная глыба.

В ней угадывались приблизительные очертания фигуры Ломоносова. Нам предстояла самая ответственная часть работы.

Тут возникло непредвиденное осложнение. Дело в том, что эскалаторы бездействовали. Идя наверх за водкой, требовалось преодолеть шестьсот ступеней.

В первый день Лихачев заявил:

— Иди. Ты самый молодой.

Я и не знал, что метро расположено на такой глубине. Да еще в Ленинграде, где почва сырая и зыбкая. Мне пришлось раза два отдыхать. «Столичная», которую я принес, была выпита за минуту.

Пришлось идти снова. Я все еще был самым молодым. Короче, за день я шесть раз ходил наверх. У меня заболели колени.

На следующий день мы поступили иначе. А именно сразу же купили шесть бутылок. Это не помогло. Наши запасы привлекли внимание окружающих. К нам потянулись электрики, сварщики, маляры, штукатуры. Через десять минут водка кончилась. И снова я отправился наверх.

На третий день мои учителя решили бросить пить. На время, разумеется. Но окружающие попрежнему выпивали. И щедро угощали нас.

На четвертый день Лихачев объявил:

— Я не фраер! Я не могу больше пить за чужой счет! Кто у нас, ребята, самый молодой?..

И я отправился наверх. Подъем давался мне все легче. Видимо, ноги окрепли.

Так что работали в основном Лихачев и Цыпин. Облик Ломоносова становился все более четким. И надо заметить, все более отталкивающим.

Иногда появлялся скульптор Чудновский. Давал руководящие указания. Кое-что на ходу переделывал.

Работяги тоже интересовались Ломоносовым. Спрашивали, например:

— Кто это в принципе — мужик или баба?

— Нечто среднее, — отвечал им Цыпин...

Надвигались праздники. Отделочные работы близились к завершению. Станция метро «Ломоносовская» принимала нарядный, торжественный вид.

Пол застелили мозаикой. Своды были украшены чугунными лампионами. Одна из стен предназначалась для нашего рельефа. Там установили гигантскую сварную раму. Чуть выше мерцали тяжелые блоки с цепями.

Я убирал мусор. Мои учителя наводили последний глянец. Цыпин прорабатывал кружевное жабо и шнурки на ботинках. Лихачев шлифовал завитки парика.

В канун открытия станции мы ночевали под землей. Нам предстояло вывесить свой злополучный рельеф. А именно — поднять его на талях. Ввести так называемые «пироны». И наконец, залить крепления для прочности эпоксидной смолой.

Поднять такую глыбу на четыре метра от земли довольно сложно. Мы провозились несколько часов. Блоки то и дело заклинивало. Штыри не попадали в отверстия. Цепи скрипели, камень раскачивался. Лихачев орал:

— Не подходи!..

Наконец мраморная глыба повисла над землей. Мы сняли цепи и отошли на почтительное расстояние. Издалека Ломоносов выглядел более прилично.

Цыпин и Лихачев с облегчением выпили. Потом начали готовить эпоксидную смолу.

Разошлись мы под утро. В час должно было состояться торжественное открытие.

Лихачев пришел в темно-синем костюме. Цыпин — в замшевой куртке и джинсах. Я и не подозревал, что он щеголь.

Между прочим, оба были трезвые. От этого у них даже цвет лица изменился.

Мы спустились под землю. Среди мраморных колонн прогуливались нарядные трезвые работяги. Хотя карманы у многих заметно оттопыривались.

Четверо плотников наскоро сколачивали маленькую трибуну. Установить ее должны были под нашим рельефом.

Осип Лихачев понизил голос и сказал мне:

— Есть подозрение, что эпоксидная смола не затвердела. Цыпа бухнул слишком много растворителя. Короче, эта мраморная фига держится на честном слове. Поэтому, когда начнется митинг, отойди в сторонку. И жену предупреди на будущее.

— Но там же, — говорю, — будет стоять весь цвет Ленинграда! А что, если все сооружение рухнет?

— Может, оно бы и к лучшему, — вяло сказал бригадир...

В час должны были появиться именитые гости. Ожидали мэра города, товарища Сизова. Его должны были сопровождать представители ленинградской общественности. Ученые, генералы, спортсмены, писатели.

Программа открытия была такая. Сначала — небольшой банкет для избранных. Затем — короткий митинг. Вручение почетных грамот и наград. А дальше, как выразился начальник станции, — «по интересам». Одни — в ресторан, другие на концерт художественной самодеятельности.

Гости прибыли в час двадцать. Я узнал композитора Андрея Петрова, штангиста Дудко и режиссера Владимирова. Ну и, конечно, самого мэра.

Это был высокий, еще не старый человек. Выглядел он почти интеллигентно. Его охраняли двое хмурых упитанных молодцов. Их выделяла легкая меланхолия, свидетельствующая о явной готовности к драке.

Мэр обошел станцию, помедлил возле нашего рельефа. Негромко спросил:

— Кого он мне напоминает?

— Хрущева, — подмигнул нам Цыпин.

Мэр не дождался ответа и последовал дальше. За ним, угодливо посмеиваясь, бежал начальник станции.

К этому времени трибуну обтянули розовым сатином. Через несколько минут осмотр закончился. Нас пригласили к столу.

Отворилась какая-то загадочная боковая дверь. Мы увидели просторную комнату. Я и не знал о ее существовании. Наверное, здесь собирались оборудовать бомбоубежище для администрации.

В банкете участвовали гости и несколько заслуженных работяг. Мы были приглашены все трое. Видимо, нас считали местной интеллигенцией. Тем более что скульптор отсутствовал.

Всего за столом разместилось человек тридцать. По одну сторону — гости, напротив — мы.

Первым выступил начальник станции. Он представил мэра города, назвав его «стойким ленинцем». Все долго аплодировали.

После этого взял слово мэр. Он говорил по бумажке. Выразил чувство глубокого удовлетворения. Поздравил всех трудящихся с досрочным завершением работ. Запинаясь, назвал три или четыре фамилии. И наконец предложил выпить за мудрое ленинское руководство.

Все зашумели и потянулись к бокалам.

Потом было еще несколько тостов. Начальник станции предложил выпить за мэра. Композитор Петров — за светлое будущее. Режиссер Владимиров — за мирное сосуществование. А штангист Дудко — за сказку, которая на глазах превращается в быль.

Цыпин порозовел. Он выпил фужер коньяка и потянулся за шампанским.

— Не смешивай, — посоветовал бригадир, — а то уже хорош.

— Что значит — не смешивай, — удивился Цыпин, — почему? Я же грамотно смешиваю. Делаю все по науке. Водку с пивом мешать — это одно. Коньяк с шампанским — другое. Я в этом деле профессор.

— Оно и видно, — нахмурился Лихачев, — по той же эпоксидной смоле...

Через минуту все говорили хором. Цыпин обнимал режиссера Владимирова. Начальник станции ухаживал за мэром. Штукатуры и каменщики, перебивая один другого, жаловались на заниженные расценки.

Только Лихачев молчал. Видно, думал о чем-то. Затем вдруг резко и совершенно неожиданно произнес, обращаясь к штангисту Дудко:

— Знал одну еврейку. Сошлись. Готовила неплохо...

А я наблюдал за мэром. Что-то беспокоило его. Томило. Заставляло хмуриться и напрягаться. Временами по его лицу бродила страдальческая улыбка.

Затем произошло следующее.

Мэр резко придвинулся к столу. Не опуская головы, пригнулся. Левая рука его, оставив бутерброд, скользнула вниз.

Около минуты лицо почетного гостя выражало крайнюю сосредоточенность. Потом, издав едва уловимый звук лопнувшей шины, мэр весело откинулся на спинку кресла. И с облегчением взял бутерброд.

Тогда я незаметно приподнял скатерть. Заглянул под стол и тотчас выпрямился. То, что я увидел, поразило меня и вынудило затаить дыхание. Я сжался от причастности к тайне.

А увидел я крупные ступни мэра города, туго обтянутые зелеными шелковыми носками. Пальцы ног мэра города шевелились. Как будто мэр импровизировал на рояле.

Ботинки стояли рядом.

И тут — не знаю, что со мной произошло. То ли сказалось мое подавленное диссидентство. То ли заговорила во мне криминальная сущность. То ли воздействовали на меня загадочные разрушительные силы.

Раз в жизни такое бывает с каждым.

Дальнейшие события припоминаю, как в тумане. Я передвинулся на край сиденья. Вытянул ногу. Нащупал ботинки мэра города и осторожно притянул к себе.

И лишь после этого замер от страха.

В ту же минуту поднялся начальник станции:

— Внимание, друзья! Приглашаю вас на короткий торжественный митинг. Почетные гости, займите места на трибуне!

Все зашевелились. Режиссер Владимиров поправил галстук. Штангист Дудко торопливо застегнул верхнюю пуговицу на брюках. Цыпин и Лихачев неохотно отставили бокалы.

Я посмотрел на мэра. Тревожно оглядываясь, мэр шарил ногой под столом. Я, разумеется, не видел этого. Но я догадывался об этом по выражению его растерянного лица. Было заметно, что радиус поисков увеличивается.

Что мне оставалось делать?

Возле моего кресла стоял портфель Лихачева. Портфель всегда был с нами. В нем умещалось до шестнадцати бутылок «Столичной». Таскать его было раз и навсегда поручено мне.

Я уронил носовой платок. Затем нагнулся и сунул ботинки мэра в портфель. Я ощутил их благородную, тяжеловатую прочность. Не думаю, чтобы кто-то все это заметил.

Застегнув портфель, я встал. Остальные тоже стояли. Все, кроме товарища Сизова. Охранники вопросительно поглядывали на босса.

И тут мэр города показал себя умным и находчивым человеком. Прижав ладонь к груди, он тихо выговорил:

— Что-то мне нехорошо. Я на минуточку прилягу...

Мэр быстро снял пиджак, ослабил галстук и взгромоздился на диванчик у телефона. Его ступни в зеленых шелковых носках утомленно раздвинулись. Руки были сложены на животе. Глаза прикрыты.

Охранники начали действовать. Один звонил врачу. Другой командовал:

— Освободите помещение! Я говорю — освободите помещение! Да побыстрее! Начинайте митинг!.. Еще раз повторяю — начинайте митинг!..

— Могу я чем-то помочь? — вмешался начальник станции.

— Убирайся, старый пидор! — раздалось в ответ.

Первый охранник добавил:

— На столах все оставить как есть! Не исключена провокация! Надеюсь, фамилии присутствовавших известны?

Начальник станции угодливо кивнул:

— Я списочек представлю...

Мы вышли из помещения. Я нес портфель в дрожащей руке. Среди колонн толпились работяги. Ломоносов, слава богу, висел на прежнем месте.

Митинг не отменили. Именитые гости, лишившиеся своего предводителя, замедлили шаги возле трибуны. Им скомандовали — подняться. Гости расположились под мраморной глыбой.

— Пошли отсюда, — сказал Лихачев, — чего мы здесь не видели? Я знаю пивную на улице Чкалова.

— Хорошо бы, — говорю, — удостовериться, что монумент не рухнул.

— Если рухнет, — сказал Лихачев, — то мы и в пивной услышим.

Цыпин добавил:

— Хохоту будет...

Мы выбрались на поверхность. День был морозный, но солнечный. Город был украшен праздничными флагами.

А нашего Ломоносова через два месяца сняли. Ленинградские ученые написали письмо в газету. Жаловались, что наша скульптура принижает великий образ. Претензии, естественно, относились к Чудновскому. Так что деньги нам полностью заплатили. Лихачев сказал:

— Это главное...

ПРИЛИЧНЫЙ ДВУБОРТНЫЙ КОСТЮМ

Я и сейчас одет неважно. А раньше одевался еще хуже. В Союзе я был одет настолько плохо, что меня даже корили за это. Вспоминаю, как директор Пушкинского заповедника говорил мне:

— Своими брюками, товарищ Довлатов, вы нарушаете праздничную атмосферу здешних мест...

В редакциях, где я служил, мной тоже часто были недовольны. Помню, редактор одной газеты жаловался:

— Вы нас попросту компрометируете. Мы оказали вам доверие. Делегировали вас на похороны генерала Филоненко. А вы, как мне стало известно, явились без пиджака.

— Я был в куртке.

— На вас была какая-то старая ряса.

— Это не ряса. Это заграничная куртка. И кстати, подарок Леже.

(Куртка и вправду досталась мне от Фернана Леже. Но эта история — впереди.)

— Что такое «леже»? — поморщился редактор.

— Леже — выдающийся французский художник. Член коммунистической партии.

— Не думаю, — сказал редактор, потом вдруг рассердился, — хватит! Вечные отговорки! Все не как у людей! Извольте одеваться так, как подобает работнику солидной газеты!

Тогда я сказал:

— Пусть мне редакция купит пиджак. Еще лучше — костюм. А галстук, так и быть, я сам куплю...

Редактор хитрил. Ему было совершенно все равно, как я одеваюсь. Дело было не в этом. Все объяснялось просто.

Я был самым здоровым в редакции. Самым крупным. То есть, как уверяло меня начальство, — самым представительным. Или, по выражению ответственного секретаря Минца, — «наиболее репрезентативным».

Если умирала какая-то знаменитость, на похороны от редакции делегировали меня. Ведь гроб тащить не каждому под силу. Я же занимался этим не без вдохновения. Не потому, что так уж любил похороны. А потому, что ненавидел газетную работу...

— Нахальство, — сказал редактор.

— Ничего подобного, — говорю, — законное требование. Железнодорожникам, например, выдается спецодежда. Сторожам — тулупы. Водолазам — скафандры. Пускай редакция мне купит спецодежду. Костюм для похоронных церемоний...

Редактор наш был добродушным человеком. Имея большую зарплату, можно позволить себе такую роскошь, как добродушие. Да и времена были тогда сравнительно либеральные.

Он сказал:

— Давайте примем компромиссное решение. Вы подготовите до Нового года три социально значимых материала. Три статьи широкого общественно-политического звучания. И тогда редакция премирует вас скромным костюмом.

— Что значит — скромным? Дешевым?

— Не дешевым, а черным. Для торжественных случаев.

— О'кей, — говорю, — запомним этот разговор...

Через неделю прихожу в редакцию. Вызывает меня заведующий отделом пропаганды Безуглов. Спускаюсь ниже этажом. Безуглов говорит одновременно по двум телефонам. Слышу:

— Белорус не годится. Белорусов навалом. Узбека мне давай или, на худой конец, эстонца... Хотя нет, погоди, эстонец вроде бы есть... Зато молдаванин под сомнением... Что?.. Рабочий отпадает, пролетариев достаточно... Давай интеллигента либо сферу обслуживания. А самое лучшее — военного. Какого-нибудь старшину... В общем, действуй!

Безуглов поднял другую трубку:

— Алё... Срочно нужен узбек. Причем любого качества, хоть тунеядец... Постарайся, голубчик, век не забуду...

Я поздоровался и спрашиваю:

— Что это за интернационал?

Безуглов говорит:

— Скоро День Конституции. Вот мы и решили дать пятнадцать очерков. По числу союзных республик. Охватить представителей разных народов.

Безуглов вынул сигареты и продолжал:

— С русскими, допустим, нет проблем. Украинцев тоже хватает. Грузина нашли в Медицинской академии. Азербайджанца на мясокомбинате. Даже молдаванина подыскали, инструктора райкома комсомола. А вот с узбеками, киргизами, туркменами — завал. Где я возьму узбека?!

— В Узбекистане, — подсказал я.

— Какой ты умный! Ясно, что в Узбекистане. Но у меня же — сроки. Не говоря о том, что командировочные фонды давно израсходованы... Короче, хочешь заработать пятьдесят рублей?

— Хочу.

— Я так и думал... Найди мне узбека, выпишу полтинник. Набавлю как за вредность...

— У меня есть знакомый татарин.

Безуглов рассердился:

— Зачем мне татарин?! У меня самого на площадке татары живут. И что толку? Это же не союзная республика... Короче, найди мне узбека. Киргиза и туркмена я уже распределил между внештатниками. Таджик вроде бы есть у Сашки Шевелева. Казаха ищет Самойлов. И так далее. Нужен узбек. Возьмешься за это дело?

— Ладно, — говорю, — но я тебя предупреждаю. Очерк будет социально значимым. С широким общественно-политическим звучанием.

— Ты выпил? — спросил Безуглов.

— Нет. А у тебя есть предложения?

— Что ты, — замахал руками Безуглов, — исключено. Я пью только вечером... Не раньше часу дня...

Безуглова я знал давно. Человек он был своеобразный. Родом из Свердловска.

Помню, собирался я в командировку на Урал. Естественно, должен был заехать в Свердловск. И как раз на майские праздники. То есть могли быть осложнения с гостиницей.

Обращаюсь к Безуглову:

— Могу я переночевать в Свердловске у твоих родителей?

— Естественно, — закричал Безуглов, — конечно! Сколько угодно! Все будут только рады. Квартира у них — громадная. Батя — член-корреспондент, мамаша — заслуженный деятель искусств. Угостят тебя домашними пельменями... Единственное условие: не проговорись, что мы знакомы. Иначе все пропало. Ведь я с четырнадцати лет — позор семьи!..

— Ладно, — говорю, — поищу тебе узбека.

Я начал действовать. Перелистал записную книжку. Позвонил трем десяткам знакомых. Наконец один приятель, трубач, сообщил мне:

— У нас есть тромбонист Балиев. По национальности — узбек.

— Прекрасно, — говорю, — дай мне номер его телефона.

— Записывай.

Я записал.

— Он тебе понравится, — сказал мой друг. — Мужик культурный, начитанный, с юмором. Недавно освободился.

— Что значит — освободился?

— Кончился срок, вот его и освободили.

— Ворюга, что ли? — спрашиваю.

— Почему это ворюга? — обиделся друг. — Мужик за изнасилование сидел...

Я положил трубку.

В ту же минуту звонок Безуглова.

— Тебе повезло, — кричит, — нашли узбека. Мищук его нашел... Где? Да на Кузнечном рынке. Торговал этой... как ее... хохломой.

— Наверное, пахлавой?

— Ну, пахлавой, какая разница... А мелкий частник — это даже хорошо. Это сейчас негласно поощряется. Приусадебные наделы, личные огороды и все такое...

Я спросил:

— Ты уверен, что пахлава растет в огороде?

— Я не знаю, где растет пахлава. И знать не хочу. Но я хорошо знаю последние инструкции горкома... Короче, с узбеком порядок.

— Жаль, — говорю, — у меня только что появилась отличная кандидатура. Культурный, образованный узбек. Солист оркестра. Недавно с гастролей вернулся.

— Поздно. Прибереги его на будущее. Мищук уже статью принес. А для тебя есть новое задание. Приближается День рационализатора. Ты должен найти современного русского умельца, потомка знаменитого Левши. Того самого, который подковал английскую блоху. И сделать на эту тему материал.

— Социально значимый?

— Не без этого.

— Ладно, — говорю, — попытаюсь...

Я слышал о таком умельце. Мне говорил о нем старший брат, работавший на кинохронике.

Жил старик на Елизаровской, под Ленинградом, в частном доме. Найти его оказалось проще, чем я думал. Первый же встречный указал мне дорогу.

Звали старика Евгений Эдуардович. Он реставрировал старинные автомобили. Отыскивал на свалках ржавые бесформенные корпуса. С помощью разнообразных источников восстанавливал первоначальный облик машины. Затем проделывал огромную работу. Вытачивал, клеил, никелировал.

Он возродил десятки старинных моделей. Среди его творений были «олдсмобили» и «шевроле», «пежо» и «форды». Разноцветные, сверкающие кожей, медью, хромом, неуклюже-изысканные, они производили яркое впечатление.

Причем все эти модели были действующими. Они вибрировали, двигались, гудели. Слегка раскачиваясь, обгоняли пешеходов. Это было сильное, почти цирковое зрелище.

За рулем восседал хозяин, Евгений Эдуардович. Его старинная кожаная тужурка лоснилась. Глаза были прикрыты целлулоидными очками. Широчайшее кепи дополняло его своеобразный облик.

Кстати, он был чуть ли не первым российским автомобилистом. Сел за руль в двенадцатом году. Некоторое время был личным шофером Родзянко. Затем возил Троцкого, Кагановича, Андреева. Возглавил первую российскую автошколу. Войну закончил командиром бронетанкового подразделения. Удостоился многих правительственных наград. Естественно, сидел. В преклонные годы занялся реставрацией старинных автомобилей.

Продукция Евгения Эдуардовича демонстрировалась на международных выставках. Его модели использовали на съемках отечественные и зарубежные кинематографисты. Он переписывался на четырех языках с редакциями бесчисленных автомобильных журналов.

Если машины участвовали в киносъемках, хозяин сопровождал их. Кинорежиссеры обратили внимание на импозантную фигуру Евгения Эдуардовича. Поначалу использовали его в массовых сценах. Затем стали поручать ему небольшие эпизодические роли. Он изображал меньшевиков, дворян, ученых старого закала. В общем, стал еще и киноактером...

Я провел на Елизаровской двое суток. Мои записи были полны интересных деталей. Мне не терпелось приступить к работе.

Приезжаю в редакцию. Узнаю, что Безуглов в командировке. А ведь он говорил мне, что командировочные фонды израсходованы.

Ладно... Захожу к ответственному секретарю газеты Боре Минцу. Рассказываю о своих планах. Сообщаю наиболее эффектные подробности.

Минц говорит:

— Как фамилия?

Я достал визитную карточку Евгения Эдуардовича.

— Холидей, — отвечаю, — Евгений Эдуардович Холидей.

Минц округлил глаза:

— Холидей? Русский умелец — Холидей? Потомок Левши — Холидей?! Ты шутишь!.. Что мы знаем о его происхождении? Откуда у него такая фамилия?

— Минц, по-твоему, — лучше?.. Не говоря о происхождении...

— Хуже, — согласился Минц, — бесспорно хуже. Но Минц при этом — частное лицо. Про Минца не сочиняют очерков к Дню рационализатора. Минц не герой. О Минце не пишут...

(Я тогда подумал — не зарекайся!)

Он добавил:

— Лично я не против англичан.

— Еще бы, — говорю...

Мне вдруг стало тошно. Что происходит? Всё не для печати. Всё кругом не для печати. Не знаю, откуда советские журналисты черпают темы!.. Все мои затеи — неосуществимые. Все мои разговоры — не телефонные. Все знакомства — подозрительные...

Ответственный секретарь говорит:

— Напиши про мать-героиню. Найди обыкновенную, скромную мать-героиню. Причем с нормальной фамилией. И напиши строк двести пятьдесят. Такой материал всегда проскочит. Мать-героиня — это вроде беспроигрышной лотереи...

Что мне оставалось делать? Все-таки я штатный журналист. Опять звоню друзьям. Приятель говорит:

— У нашей дворничихи — целая орава ребятишек. Хулиганье невероятное.

— Это не важно.

— Ну, тогда приезжай.

Еду по адресу. Дворничиху звали Лидия Васильевна Брыкина. Это тебе не мистер Холидей! Жилище ее производило страшное впечатление. Шаткий стол, несколько продырявленных матрасов, удушающий тяжелый запах. Кругом возились оборванные, неопрятные ребятишки. Самый маленький орал в фанерной люльке. Девочка лет четырнадцати мрачно рисовала пальцем на оконном стекле.

Я объяснил цель моего прихода. Лидия Васильевна оживилась:

— Пиши, малый, записывай... Уж я постараюсь. Все расскажу народу про мою собачью жизнь.

Я спросил:

— Разве государство вам не помогает?

— Помогает. Еще как помогает. Сорок рублей нам положено в месяц. Ну и ордена с медалями.

Вон на окне стоит полная банка. На мандарины бы их сменять, один к четырем.

— А муж? — спрашиваю.

— Который? У меня их целая рота. Последний за «Солнцедаром» ушел, да так и не вернулся. С год тому назад...

Что мне оставалось делать? Что я мог написать об этой женщине?

Я посидел для виду и ушел. Обещал зайти в следующий раз.

Звонить было некому. Все опротивело. Я подумал — не уволиться ли мне в очередной раз? Не пойти ли грузчиком работать?

Тут жена говорит мне:

— В подъезде напротив живет интеллигентная дама. Утром гуляет с детьми. Их у нее человек десять... Ты узнай... Я забыла ее фамилию — на «ша»...

— Шварц?

— Да нет, Шаповалова... Или Шапошникова... Фамилию и телефон можно узнать в домоуправлении.

Я пошел в домоуправление. Поговорил с начальником Михеевым. Человек он был приветливый и добродушный. Пожаловался:

— Подчиненных у меня — двенадцать гавриков, а за вином отправить некого...

Когда я заговорил об этой самой даме, Михеев почему-то насторожился:

— Не знаю... Поговорите с ней лично. Зовут ее Шапорина Галина Викторовна. Квартира — двадцать три. Да вон она гуляет с малышами. Только я здесь ни при чем. Меня это не касается...

Я направился в сквер. Галина Викторовна оказалась благообразной, представительной женщиной. В советском кино такими изображают народных заседателей.

Я поздоровался и объяснил, в чем дело. Дама сразу насторожилась. Заговорила в точности как наш управдом:

— В чем дело? Что такое? Почему вы обратились именно ко мне?

Мне стало все это надоедать. Я спрятал авторучку и говорю:

— Что происходит? Чего вы так испугались? Не хотите разговаривать — уйду. Я же не хулиган...

— Хулиганы мне как раз не страшны, — ответила дама.

Затем продолжала:

— Мне кажется, вы интеллигентный человек. Я знаю вашу матушку и знала вашего отца. Я полагаю, вам можно довериться. Я расскажу, в чем дело. Хулиганов я действительно не боюсь. Я боюсь милиции.

— Но меня-то, — говорю, — чего бояться? Я же не милиционер.

— Но вы журналист. А в моем положении рекламировать себя более чем глупо. Разумеется, я не мать-героиня. И ребятишки эти — не мои. Я организовала что-то вроде пансиона. Учу детей музыке, французскому языку, читаю им стихи. В государственных яслях дети болеют, а у меня — никогда. И плату я беру самую умеренную. Но вы догадываетесь, что будет, если об этом узнает милиция? Пансион-то, в сущности, частный...

— Догадываюсь, — сказал я.

— Поэтому забудьте о моем существовании.

— Ладно, — говорю.

Я даже не стал звонить в редакцию. Скажу, думаю, если потребуется, что у меня творческий застой. Все равно уже гонорары за декабрь будут символические. Рублей шестнадцать. Тут не до костюма. Лишь бы не уволили...

Тем не менее костюм от редакции я получил. Строгий, двубортный костюм, если не ошибаюсь, восточногерманского производства. Дело было так.

Я сидел у наших машинисток. Рыжеволосая красавица Манюня Хлопина твердила:

— Да пригласи же ты меня в ресторан! Я хочу в ресторан, а ты меня не приглашаешь!

Мне приходилось вяло оправдываться:

— Я ведь и не живу с тобой.

— А зря. Мы бы вместе слушали радио. Знаешь, какая моя любимая передача — «Щедрый гектар»! А твоя?

— А моя — «Есть ли жизнь на других планетах?».

— Не думаю, — вздыхала Хлопина, — и здесь-то жизнь собачья...

В эту минуту появился таинственный незнакомец. Еще днем я заметил этого человека.

Он был в элегантном костюме, при галстуке. Усы его переходили в низкие бакенбарды. На запястье висела миниатюрная кожаная сумочка.

Скажу, забегая вперед, что незнакомец был шпионом. Просто мы об этом не догадывались. Мы решили, что он из Прибалтики. Всех элегантных мужчин у нас почему-то считали латышами.

Незнакомец говорил по-русски с едва заметным акцентом.

Вел он себя непосредственно и даже чуточку агрессивно. Дважды хлопнул редактора по спине. Уговорил парторга сыграть в шахматы. В кабинете ответственного секретаря Минца долго листал технические пособия.

Тут мне хотелось бы отвлечься. Я убежден, что почти все шпионы действуют неправильно. Они зачем-то маскируются, хитрят, изображают простых советских граждан. Сама таинственность их действий — подозрительна. Им надо вести себя гораздо проще. Во-первых, одеваться как можно шикарнее. Это внушает уважение. Кроме того, не скрывать заграничного акцента. Это вызывает симпатию. А главное — действовать с максимальной бесцеремонностью.

Допустим, шпиона интересует новая баллистическая ракета. Он знакомится в театре с известным конструктором. Приглашает его в ресторан.

Глупо предлагать этому конструктору деньги. Денег у него хватает. Нелепо подвергать конструктора идеологической обработке. Он все это знает и без вас.

Нужно действовать совсем иначе. Нужно выпить. Обнять конструктора за плечи. Хлопнуть его по колену и сказать:

— Как поживаешь, старик? Говорят, изобрел что-то новенькое? Черкни-ка мне на салфетке две-три формулы. Просто ради интереса...

И все. Шпион может считать, что ракета у него в кармане...

Целый день незнакомец провел в редакции. К нему привыкли. Хоть и переглядывались с некоторым удивлением.

Звали его — Артур.

В общем, заходит Артур к машинисткам и говорит:

— Простите, я думал, это есть уборная.

Я сказал:

— Идем. Нам по дороге.

В сортире шпион испуганно оглядел наше редакционное полотенце. Достал носовой платок.

Мы разговорились. Решили спуститься в буфет. Оттуда позвонили моей жене и заехали в «Кавказский».

Выяснилось, что оба мы любим Фолкнера, Бриттена и живопись тридцатых годов. Артур был человеком мыслящим и компетентным. В частности, он сказал:

— Живопись Пикассо — это всего лишь драма, а творчество Рене Магритта — катастрофическая феерия...

Я поинтересовался:

— Ты был на Западе?

— Конечно.

— И долго там прожил?

— Долго. Сорок три года. Если быть точным, до прошлого вторника.

— Я думал, ты из Латвии.

— Я швед. Это рядом. Хочу написать книгу о России...

Расстались мы поздно ночью возле гостиницы «Европейская». Договорились встретиться завтра.

Наутро меня пригласили к редактору. В кабинете сидел незнакомый мужчина лет пятидесяти. Он был тощий, лысый, с пегим венчиком над ушами. Я задумался, может ли он причесываться, не снимая шляпы.

Мужчина занимал редакторское кресло. Хозяин кабинета устроился на стуле для посетителей. Я присел на край дивана.

— Знакомьтесь, — сказал редактор, — представитель комитета государственной безопасности майор Чиляев.

Я вежливо приподнялся. Майор, без улыбки, кивнул. Видимо, его угнетало несовершенство окружающего мира.

В поведении редактора я наблюдал — одновременно — сочувствие и злорадство. Вид его как будто говорил: «Ну что? Доигрался?! Теперь уж выкручивайся самостоятельно. А ведь я предупреждал тебя, дурака...»

Майор заговорил. Резкий голос не соответствовал его утомленному виду.

— Знаете ли вы Артура Торнстрема?

— Да, — отвечаю, — вчера познакомились.

— Задавал ли он какие-нибудь провокационные вопросы?

— Вроде бы нет. Он вообще не задавал мне вопросов. Я что-то не припомню.

— Ни одного?

— По-моему, ни единого.

— С чего началось ваше знакомство? Точнее, где и как вы познакомились?

— Я сидел у машинисток. Он вошел и спрашивает...

— Ах спрашивает? Значит, все-таки спрашивает?! О чем же, если не секрет?

— Он спросил — где здесь уборная?

Майор записал эту фразу и добавил:

— Советую вам быть повнимательнее...

Дальнейший разговор показался мне абсолютно бессмысленным. Чиляева интересовало все. Что мы ели? Что пили? О каких художниках беседовали? Он даже поинтересовался, часто ли швед ходил в уборную?..

Майор настаивал, чтоб я припомнил все детали. Не злоупотребляет ли швед алкоголем? Поглядывает ли на женщин? Похож ли на скрытого гомосексуалиста?

Я отвечал подробно и добросовестно. Мне было нечего скрывать.

Майор сделал паузу. Чуть приподнялся над столом. Затем слегка возвысил голос:

— Мы рассчитываем на вашу сознательность. Хотя вы человек довольно легкомысленный. Сведения, которые мы имеем о вас, более чем противоречивы. Конкретно — бытовая неразборчивость, пьянка, сомнительные анекдоты...

Мне захотелось спросить — что же тут противоречивого? Но я сдержался. Тем более что майор вытащил довольно объемистую папку. На обложке была крупно выведена моя фамилия.

Я не отрываясь глядел на эту папку. Я испытывал то, что почувствовала бы, допустим, свинья в мясном отделе гастронома.

Майор продолжал:

— Мы ждем от вас полнейшей искренности. Рассчитываем на вашу помощь. Надеюсь, вы уяснили, какое это серьезное задание?.. А главное, помните — нам все известно. Нам все известно заранее. Абсолютно все...

Тут мне захотелось спросить — а как насчет Миши Барышникова? Неужели было известно заранее, что Миша останется в Штатах?!

Майор тем временем спросил:

— Как вы договорились со шведом? Должны ли встретиться сегодня?

— Вроде бы, — говорю, — должны. Он пригласил нас с женой в Кировский театр. Думаю позвонить ему, извиниться, сказать, что заболел.

— Ни в коем случае, — привстал майор, — идите. Непременно идите. И все до мелочей запоминайте. Мы вам завтра утром позвоним.

Этого, подумал я, мне только не хватало!

— Не могу, — говорю, — есть объективные причины.

— То есть?

— У меня нет костюма. Для театра нужна соответствующая одежда. Там, между прочим, бывают иностранцы.

— Почему же у вас нет костюма? — спросил майор. — Что за ерунда такая? Вы же работник солидной газеты.

— Зарабатываю мало, — ответил я.

Тут вмешался редактор:

— Я хочу раскрыть вам одну маленькую тайну. Как известно, приближаются новогодние торжества. Есть решение наградить товарища Довлатова ценным подарком. Через полчаса он может зайти в бухгалтерию. Потом заехать во Фрунзенский универмаг. Выбрать там подходящий костюм рублей за сто двадцать.

— У меня, — говорю, — нестандартный размер.

— Ничего, — сказал редактор, — я позвоню директору универмага...

Так я стал обладателем импортного двубортного костюма. Если не ошибаюсь, восточногерманского производства. Надевал я его раз пять. Один раз, когда был в театре со шведом. И раза четыре, когда меня делегировали на похороны...

А моего шведа через неделю выслали из Союза. Он был консервативным журналистом. Выразителем интересов правого крыла.

Шесть лет он изучал русский язык. Хотел написать книгу. И его выслали.

Надеюсь, без моего участия. То, что я рассказывал о нем майору, выглядело совершенно безобидно.

Более того, я даже предупредил Артура, что за ним следят. Вернее, намекнул ему, что стены имеют уши...

Швед не понял. Короче, я тут ни при чем.

Самое удивительное, что знакомый диссидент Шамкович обвинил меня тогда в пособничестве КГБ.

ОФИЦЕРСКИЙ РЕМЕНЬ

Самое ужасное для пьяницы — очнуться на больничной койке. Еще не окончательно проснувшись, ты бормочешь:

— Все! Завязываю! Навсегда завязываю! Больше — ни единой капли!

И вдруг обнаруживаешь на голове толстую марлевую повязку. Хочешь потрогать бинты, но оказывается, что левая рука твоя в гипсе. И так далее.

Все это произошло со мной летом шестьдесят третьего года на юге Республики Коми.

За год до этого меня призвали в армию. Я был зачислен в лагерную охрану. Окончил двадцатидневную школу надзирателей под Синдором...

Еще раньше я два года занимался боксом. Участвовал в республиканских соревнованиях. Однако я не помню, чтобы тренер хоть раз мне сказал:

— Ну, все. Я за тебя спокоен.

Зато я услышал это от инструктора Торопцева в школе надзорсостава. После трех недель занятий. И притом, что угрожали мне в дальнейшем не боксеры, а рецидивисты...

Я попытался оглядеться. На линолеуме желтели солнечные пятна. Тумбочка была заставлена лекарствами. У двери висела стенная газета — «Ленин и здравоохранение».

Пахло дымом и, как ни странно, водорослями. Я находился в санчасти.

Болела стянутая повязкой голова. Ощущалась глубокая рана над бровью. Левая рука не действовала.

На спинке кровати висела моя гимнастерка. Там должны были оставаться сигареты. Вместо пепельницы я использовал банку с каким-то чернильным раствором. Спичечный коробок пришлось держать в зубах.

Теперь можно было припомнить события вчерашнего дня.

Утром меня вычеркнули из конвойного списка. Я пошел к старшине:

— Что случилось? Неужели мне полагается выходной?

— Вроде того, — говорит старшина, — можешь радоваться... Зек помешался в четырнадцатом бараке. Лает, кукарекает... Повариху тетю Шуру укусил... Короче, доставишь его в психбольницу на Иоссере. А потом целый день свободен. Типа выходного.

— Когда я должен идти?

— Хоть сейчас.

— Один?

— Ну почему — один? Вдвоем, как полагается. Чурилина возьми или Гаенко...

Чурилина я разыскал в инструментальном цехе. Он возился с паяльником. На верстаке что-то потрескивало, распространяя запах канифоли.

— Напайку делаю, — сказал Чурилин, — ювелирная работа. Погляди.

Я увидел латунную бляху с рельефной звездой. Внутренняя сторона ее была залита оловом. Ремень с такой напайкой превращался в грозное оружие.

Была у нас в ту пору мода — чекисты заводили себе кожаные офицерские ремни. Потом заливали бляху слоем олова и шли на танцы. Если возникало побоище, латунные бляхи мелькали над головами...

Я говорю:

— Собирайся.

— Что такое?

— Психа везем на Иоссер. Какой-то зек рехнулся в четырнадцатом бараке. Между прочим, тетю Шуру укусил.

Чурилин говорит:

— И правильно сделал. Видно, жрать хотел. Эта Шура казенное масло уносит домой. Я видел.

— Пошли, — говорю.

Чурилин остудил бляху под краном и затянул ремень:

— Поехали...

Мы получили оружие, заходим на вахту. Минуты через две контролер приводит небритого толстого зека. Тот упирается и кричит:

— Хочу красивую девушку, спортсменку! Дайте мне спортсменку! Сколько я должен ждать?!

Контролер без раздражения ответил:

— Минимум лет шесть. И то, если освободят досрочно. У тебя же групповое дело.

Зек не обратил внимания и продолжал кричать:

— Дайте мне, гады, спортсменку-разрядницу!..

Чурилин присмотрелся к нему и толкнул меня локтем:

— Слушай, да какой он псих?! Нормальный человек. Сначала жрать хотел, а теперь ему бабу подавай. Да еще разрядницу... Мужик со вкусом... Я бы тоже не отказался...

Контролер передал мне документы. Мы вышли на крыльцо. Чурилин спрашивает:

— Как тебя зовут?

— Доремифасоль, — ответил зек.

Тогда я сказал ему:

— Если вы действительно ненормальный — пожалуйста. Если притворяетесь — тоже ничего. Я не врач. Мое дело отвести вас на Иоссер. Остальное меня не волнует. Единственное условие — не переигрывать. Начнете кусаться — пристрелю. А лаять и кукарекать можете сколько угодно...

Идти нам предстояло километра четыре. Попутных лесовозов не было. Машину начальника лагеря взял капитан Соколовский. Уехал, говорят, сдавать какие-то экзамены в Инту.

Короче, мы должны были идти пешком. Дорога вела через поселок, к торфяным болотам. Оттуда — мимо рощи, до самого переезда. А за переездом начинались лагерные вышки Иоссера.

В поселке около магазина Чурилин замедлил шаги. Я протянул ему два рубля. Патрульных в эти часы можно было не опасаться.

Зек явно одобрил нашу идею. Даже поделился на радостях:

— Толик меня зовут...

Чурилин принес бутылку «Московской». Я сунул ее в карман галифе. Осталось потерпеть до рощи.

Зек то и дело вспоминал о своем помешательстве. Тогда он становился на четвереньки и рычал.

Я посоветовал ему не тратить сил. Приберечь их для медицинского обследования. А мы уж его не выдадим.

Чурилин расстелил на траве газету. Достал из кармана немного печенья.

Выпили мы по очереди, из горлышка. Зек сначала колебался:

— Врач может почувствовать запах. Это будет как-то неестественно...

Чурилин перебил его:

— А лаять и кукарекать — естественно?.. Закусишь щавелем, и все дела.

Зек сказал:

— Убедили...

День был теплый и солнечный. По небу тянулись изменчивые легкие облака. У переезда нетерпеливо гудели лесовозы. Над головой Чурилина вибрировал шмель.

Водка начинала действовать, и я подумал: «Хорошо на свободе! Вот демобилизуюсь и буду часами гулять по улицам. Зайду в кафе на Марата. Покурю на скамейке возле здания Думы...»

Я знаю, что свобода — философское понятие. Меня это не интересует. Ведь рабы не интересуются философией. Идти куда хочешь — вот что такое свобода!..

Мои собутыльники дружески беседовали. Зек объяснял:

— Голова у меня не в порядке. Опять-таки газы... Ежели по совести, таких бы надо всех освободить. Списать вчистую по болезни. Списывают же устаревшую технику.

Чурилин перебивал его:

— Голова не в порядке?! А красть ума хватало? У тебя по документам групповое хищение. Что же ты, интересно, похитил?

Зек смущенно отмахивался:

— Да ничего особенного... Трактор...

— Цельный трактор?!

— Ну.

— И как же ты его похитил?

— Очень просто. С комбината железобетонных изделий. Я действовал на психологию.

— Как это?

— Зашел на комбинат. Сел в трактор. Сзади привязал железную бочку из-под тавота. Еду на вахту. Бочка грохочет. Появляется охранник: «Куда везешь бочку?» Отвечаю: «По личной надобности». — «Документы есть?» — «Нет». — «Отвязывай к едрене фене»... Я бочку отвязал и дальше поехал. В общем, психология сработала... А потом мы этот трактор на запчасти разобрали...

Чурилин восхищенно хлопнул зека по спине:

— Артист ты, батя!

Зек скромно подтвердил:

— В народе меня уважали.

Чурилин неожиданно поднялся:

— Да здравствуют трудовые резервы!

И достал из кармана вторую бутылку.

К этому времени нашу поляну осветило солнце. Мы перебрались в тень. Сели на поваленную ольху.

Чурилин скомандовал:

— Поехали!

Было жарко. Зек до пояса расстегнулся. На груди его видна была пороховая татуировка:

«Фаина! Помнишь дни золотые?!».

А рядом — череп, финка и баночка с надписью «яд»...

Чурилин опьянел внезапно. Я даже не заметил, как это произошло. Он вдруг стал мрачным и затих.

Я знал, что в казарме полно неврастеников. К этому неминуемо приводит служба в охране. Но именно Чурилин казался мне сравнительно здоровым.

Я помнил за ним лишь одну сумасшедшую выходку. Мы тогда возили зеков на лесоповал. Сидели у печи в дощатой будке, грелись, разговаривали. Естественно, выпивали.

Чурилин без единого слова вышел наружу. Где-то раздобыл ведро. Наполнил его соляркой. Потом забрался на крышу и опрокинул горючее в трубу.

Помещение наполнилось огнем. Мы еле выбрались из будки. Трое обгорели.

Но это было давно. А сейчас я говорю ему:

— Успокойся...

Чурилин молча достал пистолет. Потом мы услышали:

— Встать! Бригада из двух человек поступает в распоряжение конвоя! В случае необходимости конвой применяет оружие. Заключенный Холоденко, вперед! Ефрейтор Довлатов — за ним!..

Я продолжал успокаивать его:

— Очнись. Приди в себя. А главное — спрячь пистолет.

Зек удивился по-лагерному:

— Что за шухер на бану?

Чурилин тем временем опустил предохранитель. Я шел к нему, повторяя:

— Ты просто выпил лишнего.

Чурилин стал пятиться. Я все шел к нему, избегая резких движений. Повторял от страха что-то бессвязное. Даже, помню, улыбался.

А вот зек не утратил присутствия духа. Он весело крикнул:

— Дела — хоть лезь под нары!..

Я видел поваленную ольху за спиной Чурилина. Пятиться ему оставалось недолго. Я пригнулся. Знал, что, падая, он может выстрелить. Так оно и случилось.

Грохот, треск валежника...

Пистолет упал на землю. Я пинком отшвырнул его в сторону.

Чурилин встал. Теперь я его не боялся. Я мог уложить его с любой позиции. Да и зек был рядом.

Я видел, как Чурилин снимает ремень. Я не сообразил, что это значит. Думал, что он поправляет гимнастерку.

Теоретически я мог пристрелить его или хотя бы ранить. Мы ведь были на задании. Так сказать, в боевой обстановке. Меня бы оправдали.

Вместо этого я снова двинулся к нему. Интеллигентность мне вредила, еще когда я занимался боксом.

В результате Чурилин обрушил бляху мне на голову.

Главное, я все помню. Сознания не потерял. Самого удара не почувствовал. Увидел, что кровь потекла мне на брюки. Так много крови, что я даже ладони подставил. Стою, а кровь течет.

Спасибо, что хоть зек не растерялся. Вырвал у Чурилина ремень. Затем перевязал мне лоб оторванным рукавом сорочки.

Тут Чурилин, видимо, начал соображать. Он схватился за голову и, рыдая, пошел к дороге.

Пистолет его лежал в траве. Рядом с пустыми бутылками. Я сказал зеку:

— Подними...

А теперь представьте себе выразительную картинку. Впереди, рыдая, идет чекист. Дальше — ненормальный зек с пистолетом. И замыкает шествие ефрейтор с окровавленной повязкой на голове. А навстречу — военный патруль. «ГАЗ-61» с тремя автоматчиками и здоровенным волкодавом.

Удивляюсь, как они не пристрелили моего зека. Вполне могли дать по нему очередь. Или натравить пса.

Увидев машину, я потерял сознание. Отказали волевые центры. Да и жара наконец подействовала. Я только успел предупредить, что зек не виноват. А кто виноват — пусть разбираются сами.

К тому же, падая, я сломал руку. Точнее, не сломал, а повредил. У меня обнаружилась трещина в предплечье. Я еще подумал — вот уж это совершенно лишнее.

Последнее, что я запомнил, была собака. Сидя возле меня, она нервно зевала, раскрывая лиловую пасть...

Над моей головой заработал репродуктор. Оттуда донеслось гудение, последовали легкие щелчки. Я вытащил штепсель, не дожидаясь торжественных звуков гимна.

Мне вдруг припомнилось забытое детское ощущение. Я школьник, у меня температура. Мне разрешают пропустить занятия.

Я жду врача. Он будет садиться на мою постель. Заглядывать мне в горло. Говорить: «Ну-с, молодой человек». Мама будет искать для него чистое полотенце.

Я болен, счастлив, все меня жалеют. Я не должен мыться холодной водой...

Я стал ждать появления врача. Вместо него появился Чурилин. Заглянул в окошко, сел на подоконник. Затем направился ко мне. Вид у него был просительный и скорбный.

Я попытался лягнуть его ногой в мошонку. Чурилин слегка отступил и начал, фальшиво заламывая руки:

— Серега, извини! Я был не прав... Раскаиваюсь... Искренне раскаиваюсь... Действовал в состоянии эффекта...

— Аффекта, — поправил я.

— Тем более...

Чурилин осторожно шагнул в мою сторону:

— Я пошутить хотел... Для смеха... У меня к тебе претензий нет...

— Еще бы, — говорю.

Что я мог ему сказать? Что можно сказать охраннику, который лосьон «Гигиена» употребляет только внутрь?..

Я спросил:

— Что с нашим зеком?

— Порядок. Он снова рехнулся. Все утро поет: «Широка страна моя родная». Завтра у него обследование. Пока что сидит в изоляторе.

— А ты?

— А я, естественно, на гауптвахте. То есть фактически я здесь, а в принципе — на гауптвахте. Там мой земляк дежурит... У меня к тебе дело.

Чурилин подошел еще на шаг и быстро заговорил:

— Серега, погибаю, испекся! В четверг товарищеский суд!

— Над кем?

— Да надо мной. Ты, говорят, Серегу искалечил.

— Ладно, я скажу, что у меня претензий нет. Что я тебя прощаю.

— Я уже сказал, что ты меня прощаешь. Это, говорят, не важно, чаша терпения переполнилась.

— Что же я могу сделать?

— Ты образованный, придумай что-нибудь. Как говорится, заверни поганку. Иначе эти суки передадут бумаги в трибунал. Это значит — три года дисбата. А дисбат — это хуже, чем лагерь. Так что выручай...

Он скорчил гримасу, пытаясь заплакать:

— Я же единственный сын... Брат в тюрьме, сестры замужем...

Я говорю:

— Не знаю, что тут можно сделать. Есть один вариант...

Чурилин оживился:

— Какой?

— Я на суде задам вопрос. Спрошу: «Чурилин, у вас есть гражданская профессия?» Ты ответишь: «Нет». Я скажу: «Что же ему после демобилизации — воровать? Где обещанные курсы шоферов и бульдозеристов? Чем мы хуже регулярной армии?» И так далее. Тут, конечно, поднимется шум. Может, и возьмут тебя на поруки.

Чурилин еще больше оживился. Сел на мою кровать, повторяя:

— Ну голова! Вот это голова! С такой головой, в принципе, можно и не работать.

— Особенно, — говорю, — если колотить по ней латунной бляхой.

— Дело прошлое, — сказал Чурилин, — все забыто... Напиши мне, что я должен говорить.

— Я же тебе все рассказал.

— А теперь — напиши. Иначе я сразу запутаюсь.

Чурилин протянул мне огрызок химического карандаша. Потом оторвал кусок стенной газеты:

— Пиши.

Я аккуратно вывел: «Нет».

— Что значит — «Нет»? — спросил он.

— Ты сказал: «Напиши, что мне говорить». Вот я и пишу: «Нет». Я задам вопрос на суде: «Есть у тебя гражданская профессия?» Ты ответишь: «Нет». Дальше я скажу насчет шоферских курсов. А потом начнется шум.

— Значит, я говорю только одно слово — «нет»?

— Вроде бы да.

— Маловато, — сказал Чурилин.

— Не исключено, что тебе зададут и другие вопросы.

— Какие?

— Я уж не знаю.

— Что же я буду отвечать?

— В зависимости от того, что спросят.

— А что меня спросят? Примерно?

— Ну, допустим: «Признаешь ли ты свою вину, Чурилин?»

— И что же я отвечу?

— Ты ответишь: «Да».

— И все?

— Можешь ответить: «Да, конечно, признаю и глубоко раскаиваюсь».

— Это уже лучше. Записывай. Сперва пиши вопрос, а дальше мой ответ. Вопросы пиши нормально, ответы — квадратными буквами. Чтобы я не перепутал...

Мы просидели с Чурилиным до одиннадцати. Фельдшер хотел его выгнать, но Чурилин сказал:

— Могу я навестить товарища по оружию?!.

В результате мы написали целую драму. Там были предусмотрены десятки вопросов и ответов. Мало того, по настоянию Чурилина я обозначил в скобках: «Холодно», «задумчиво», «растерянно».

Затем мне принесли обед: тарелку супа, жареную рыбу и кисель.

Чурилин удивился:

— А кормят здесь получше, чем на гауптвахте.

Я говорю:

— А ты бы хотел — наоборот?

Пришлось отдать ему кисель и рыбу.

После этого мы расстались.

Чурилин сказал:

— В двенадцать мой земляк уходит с гауптвахты. После него дежурит какой-то хохол. Я должен быть на месте.

Чурилин подошел к окну. Затем вернулся:

— Я забыл. Давай ремнями поменяемся. Иначе мне за эту бляху срок добавят.

Он взял мой солдатский ремень. А свой повесил на кровать.

— Тебе повезло, — говорит, — мой из натуральной кожи. И бляха с напайкой. Удар — и человек с копыт!

— Да уж, знаю...

Чурилин снова подошел к окну. Еще раз обернулся.

— Спасибо тебе, — говорит, — век не забуду.

И выбрался через окно. Хотя вполне мог пройти через дверь.

Хорошо еще, что не унес мои сигареты...

Прошло три дня. Врач мне сказал, что я легко отделался. Что у меня всего лишь ссадина на голове.

Я бродил по территории военного городка. Часами сидел в библиотеке. Загорал на крыше дровяного склада.

Дважды пытался зайти на гауптвахту.

Один раз дежурил латыш первого года службы. Сразу же поднял автомат. Я хотел передать сигареты, но он замотал головой.

Вечером я снова зашел. На этот раз дежурил знакомый инструктор.

— Заходи, — говорит, — можешь даже там переночевать.

И он загремел ключами. Отворилась дверь.

Чурилин играл в буру с тремя другими узниками. Пятый наблюдал за игрой с бутербродом в руке. На полу валялись апельсиновые корки.

— Привет, — сказал Чурилин, — не мешай. Сейчас я их поставлю на четыре точки.

Я отдал ему «Беломор».

— А выпить? — спросил Чурилин.

Можно было позавидовать его нахальству.

Я постоял минуту и ушел.

Наутро повсюду были расклеены молнии: «Открытое комсомольское собрание дивизиона. Товарищеский суд. Персональное дело Чурилина Вадима Тихоновича. Явка обязательна».

Мимо проходил какой-то сверхсрочник.

— Давно, — говорит, — пора. Одичали... Что в казарме творится — это страшное дело... Вино из-под дверей течет...

В помещении клуба собралось человек шестьдесят. На сцене расположилось комсомольское бюро. Чурилина посадили сбоку, возле знамени. Ждали, когда появится майор Афанасьев.

Чурилин выглядел абсолютно счастливым. Может, впервые оказался на сцене. Он жестикулировал, махал рукой приятелям. Мне, кстати, тоже помахал.

На сцену поднялся майор Афанасьев:

— Товарищи!

Постепенно в зале наступила тишина.

— Товарищи воины! Сегодня мы обсуждаем персональное дело рядового Чурилина. Рядовой Чурилин вместе с ефрейтором Довлатовым был послан на ответственное задание. В пути рядовой Чурилин упился, как зюзя, и начал совершать безответственные действия. В результате было нанесено увечье ефрейтору Довлатову, кстати, такому же, извиняюсь, мудозвону... Хоть бы зека постыдились...

Пока майор говорил все это, Чурилин сиял от удовольствия. Раза два он причесывался, вертелся на стуле, трогал знамя. Явно, чувствовал себя героем.

Майор продолжал:

— Только в этом квартале Чурилин отсидел на гауптвахте двадцать шесть суток. Я не говорю о пьянках — это для Чурилина, как снег зимой. Я говорю о более серьезных преступлениях, типа драки. Такое ощущение, что коммунизм для него уже построен. Не понравится чья-то физиономия — бей в рожу! Так все начнут кулаками размахивать! Думаете, мне не хочется кому-нибудь в рожу заехать?!. В общем, чаша терпения переполнилась. Мы должны решить — остается Чурилин с нами или пойдут его бумаги в трибунал. Дело серьезное, товарищи! Начнем!.. Рассказывайте, Чурилин, как это все произошло.

Все посмотрели на Чурилина. В руках у него появилась измятая бумажка. Он вертел ее, разглядывал и что-то беззвучно шептал.

— Рассказывайте, — повторил майор Афанасьев.

Чурилин растерянно взглянул на меня. Чего-то, видно, мы не предусмотрели. Что-то упустили в сценарии.

Майор повысил голос:

— Не заставляйте себя ждать!

— Мне торопиться некуда, — сказал Чурилин.

Он помрачнел. Его лицо становилось все более злым и угрюмым. Но и в голосе майора крепло раздражение. Пришлось мне вытянуть руку:

— Давайте я расскажу.

— Отставить, — прикрикнул майор, — сами хороши!

— Ага, — сказал Чурилин, — вот... Желаю... это... поступить на курсы бульдозеристов.

Майор повернулся к нему:

— При чем тут курсы, мать вашу за ногу! Напился, понимаешь, друга искалечил, теперь о курсах мечтает!.. А в институт случайно не хотите поступить? Или в консерваторию?..

Чурилин еще раз заглянул в бумажку и мрачно произнес:

— Чем мы хуже регулярной армии?

Майор задохнулся от бешенства:

— Сколько это будет продолжаться?! Ему идут навстречу — он свое! Ему говорят «рассказывай» — не хочет!..

— Да нечего тут рассказывать, — вскочил Чурилин, — подумаешь какая сага о Форсайтах!.. Рассказывай! Рассказывай! Чего же тут рассказывать?! Хули же ты мне, сука, плешь разъедаешь?! Могу ведь и тебя пощекотить!..

Майор схватился за кобуру. На скулах его выступили красные пятна. Он тяжело дышал.

Затем овладел собой:

— Суду все ясно. Собрание объявляю закрытым!

Чурилина взяли за руки двое сверхсрочников. Я, доставая сигареты, направился к выходу...

Чурилин получил год дисциплинарного батальона. За месяц перед его освобождением я демобилизовался. Сумасшедшего зека тоже больше не видел. Весь этот мир куда-то пропал.

И только ремень все еще цел.

КУРТКА ФЕРНАНА ЛЕЖЕ

Эта глава — рассказ о принце и нищем.

В марте сорок первого года родился Андрюша Черкасов. В сентябре этого же года родился я.

Андрюша был сыном выдающегося человека. Мой отец выделялся только своей худобой.

Николай Константинович Черкасов был замечательным артистом и депутатом Верховного Совета. Мой отец — рядовым театральным деятелем и сыном буржуазного националиста.

Талантом Черкасова восхищались Питер Брук, Феллини и Де Сика. Талант моего отца вызывал сомнение даже у его родителей.

Черкасова знала вся страна как артиста, депутата и борца за мир. Моего отца знали только соседи как человека пьющего и нервного.

У Черкасова была дача, машина, квартира и слава. У моего отца была только астма.

Их жены дружили. Даже, кажется, вместе заканчивали театральный институт.

Мать была рядовой актрисой, затем корректором и наконец — пенсионеркой. Нина Черкасова тоже была рядовой актрисой. После смерти мужа ее уволили из театра.

Разумеется, у Черкасовых были друзья из высшего социального круга: Шостакович, Мравинский, Эйзенштейн... Мои родители принадлежали к бытовому окружению Черкасовых.

Всю жизнь мы чувствовали заботу и покровительство этой семьи. Черкасов давал рекомендации моему отцу. Его жена дарила маме платья и туфли.

Мои родители часто ссорились. Потом они развелись. Причем развод был чуть ли не единственным миролюбивым актом их совместной жизни. Одним из немногих случаев, когда мои родители действовали единодушно.

Черкасов ощутимо помогал нам с матерью. Например, благодаря ему мы сохранили жилплощадь.

Андрюша был моим первым другом. Познакомились мы в эвакуации. Точнее, не познакомились, а лежали рядом в детских колясках. У Андрюши была заграничная коляска. У меня — отечественного производства.

Питались мы, я думаю, одинаково скверно. Шла война.

Потом война закончилась. Наши семьи оказались в Ленинграде. Черкасовы жили в правительственном доме на Кронверкской улице. Мы — в коммуналке на улице Рубинштейна.

Виделись мы с Андрюшей довольно часто. Вместе ходили на детские утренники. Праздновали все дни рожденья.

Я ездил с матерью на Кронверкскую трамваем. Андрюшу привозил шофер на трофейной машине «бугатти».

Мы с Андрюшей были одного роста. Примерно одного возраста. Оба росли здоровыми и энергичными.

Андрюша, насколько я помню, был смелее, вспыльчивее, резче. Я был немного сильнее физически и, кажется, чуточку разумнее.

Каждое лето мы жили на даче. У Черкасовых на Карельском перешейке была дача, окруженная соснами. Из окон был виден Финский залив, над которым парили чайки.

К Андрюше была приставлена очередная домработница. Домработницы часто менялись. Как правило, их увольняли за воровство. Откровенно говоря, их можно было понять.

У Нины Черкасовой повсюду лежали заграничные вещи. Все полки были заставлены духами и косметикой. Молоденьких домработниц это возбуждало. Заметив очередную пропажу, Нина Черкасова хмурила брови:

— Любаша пошаливает!

Назавтра Любашу сменяла Зинуля...

У меня была няня Луиза Генриховна. Как немке ей грозил арест. Луиза Генриховна пряталась у нас. То есть попросту с нами жила. И заодно осуществляла мое воспитание. Кажется, мы ей совершенно не платили.

Когда-то я жил на даче у Черкасовых с Луизой Генриховной. Затем произошло вот что. У Луизы

Генриховны был тромбофлебит. И вот одна знакомая молочница порекомендовала ей смазывать больные ноги — калом. Вроде бы есть такое народное средство.

На беду окружающих, это средство подействовало. До самого ареста Луиза Генриховна распространяла невыносимый запах. Мы это, конечно, терпели, но Черкасовы оказались людьми более изысканными. Маме было сказано, что присутствие Луизы Генриховны нежелательно.

После этого мать сняла комнату. Причем на той же улице, в одном из крестьянских домов. Там мы с няней проводили каждое лето. Вплоть до ее ареста.

Утром я шел к Андрюше. Мы бегали по участку, ели смородину, играли в настольный теннис, ловили жуков. В теплые дни ходили на пляж. Если шел дождь, лепили на веранде из пластилина.

Иногда приезжали Андрюшины родители. Мать — почти каждое воскресенье. Отец — раза четыре за лето, выспаться.

Сами Черкасовы относились ко мне хорошо. А вот домработницы — хуже. Ведь я был дополнительной нагрузкой. Причем без дополнительной оплаты.

Поэтому Андрюше разрешалось шалить, а мне — нет. Вернее, Андрюшины шалости казались естественными, а мои — не совсем. Мне говорили: «Ты умнее. Ты должен быть примером для Андрюши...» Таким образом, я превращался на лето в маленького гувернера.

Я ощущал неравенство. Хотя на Андрюшу чаще повышали голос. Его более сурово наказывали. А меня неизменно ставили ему в пример.

И все-таки я чувствовал обиду. Андрюша был главнее. Челядь побаивалась его как хозяина. А я был, что называется, из простых. И хотя домработница была еще проще, она меня явно недолюбливала.

Теоретически все должно быть иначе. Домработнице следовало бы любить меня. Любить как социально близкого. Симпатизировать мне как разночинцу. В действительности же слуги любят ненавистных хозяев гораздо больше, чем кажется. И уж конечно больше, чем себя.

Нина Черкасова была интеллигентной, умной, хорошо воспитанной женщиной. Разумеется, она не дала бы унизить шестилетнего сына ее подруги. Если Андрюша брал яблоко, мне полагалось такое же. Если Андрюша шел в кино, билеты покупали нам обоим.

Как я сейчас понимаю, Нина Черкасова обладала всеми достоинствами и недостатками богачей. Она была мужественной, решительной, целеустремленной. При этом холодной, заносчивой и аристократически наивной. Например, она считала деньги тяжким бременем. Она говорила маме:

— Какая ты счастливая, Нора! Твоему Сереже ириску протянешь, он доволен. А мой оболтус любит только шоколад...

Конечно, я тоже любил шоколад. Но делал вид, что предпочитаю ириски.

Я не жалею о пережитой бедности. Если верить Хемингуэю, бедность — незаменимая школа для писателя. Бедность делает человека зорким. И так далее.

Любопытно, что Хемингуэй это понял, как только разбогател...

В семь лет я уверял маму, что ненавижу фрукты. К девяти годам отказывался примерить в магазине новые ботинки. В одиннадцать — полюбил читать. В шестнадцать — научился зарабатывать деньги.

С Андреем Черкасовым мы поддерживали тесные отношения лет до шестнадцати. Он заканчивал английскую школу. Я — обыкновенную. Он любил математику. Я предпочитал менее точные науки. Оба мы, впрочем, были изрядными лентяями.

Виделись мы довольно часто. Английская школа была в пяти минутах ходьбы от нашего дома. Бывало, Андрюша заходил к нам после занятий. И я, случалось, заезжал к нему посмотреть цветной телевизор. Андрей был инфантилен, рассеян, полон дружелюбия. Я уже тогда был злым и внимательным к человеческим слабостям.

В школьные годы у каждого из нас появились друзья. Причем у каждого — свои. Среди моих преобладали юноши криминального типа. Андрей тянулся к мальчикам из хороших семей.

Значит, что-то есть в марксистско-ленинском учении. Наверное, живут в человеке социальные инстинкты. Всю сознательную жизнь меня инстинктивно тянуло к ущербным людям — беднякам, хулиганам, начинающим поэтам. Тысячу раз я заводил приличную компанию, и все неудачно. Только в обществе дикарей, шизофреников и подонков я чувствовал себя уверенно.

Приличные знакомые мне говорили:

— Не обижайся, ты распространяешь вокруг себя ужасное беспокойство. Рядом с тобой заражаешься всевозможными комплексами...

Я не обижался. Я лет с двенадцати ощущал, что меня неудержимо влечет к подонкам. Не удивительно, что семеро из моих школьных знакомых прошли в дальнейшем через лагеря.

Рыжий Борис Иванов сел за кражу листового железа. Штангист Кононенко зарезал сожительницу. Сын школьного дворника Миша Хамраев ограбил железнодорожный вагон-ресторан. Бывший авиамоделист Летяго изнасиловал глухонемую. Алик Брыкин, научивший меня курить, совершил тяжкое воинское преступление — избил офицера. Юра Голынчик по кличке Хряпа ранил милицейскую лошадь. И даже староста класса Виля Ривкович умудрился получить год за торговлю медикаментами.

Мои друзья внушали Андрюше Черкасову тревогу и беспокойство. Каждому из них постоянно что-то угрожало. Все они признавали единственную форму самоутверждения — конфронтацию.

Мне же его приятели внушали ощущение неуверенности и тоски. Все они были честными, разумными и доброжелательными. Все предпочитали компромисс — единоборству.

Оба мы женились сравнительно рано. Я, естественно, на бедной девушке. Андрей — на Даше, внучке химика Ипатьева, приумножившей семейное благосостояние.

Помню, я читал насчет взаимной тяги антиподов. По-моему, есть в этой теории нечто сомнительное. Или, как минимум, спорное. Например, Даша с Андреем были похожи. Оба рослые, красивые, доброжелательные и практичные. Оба больше всего ценили спокойствие и порядок. Оба жили со вкусом и без проблем.

Да и мы с Леной были похожи. Оба — хронические неудачники. Оба — в разладе с действительностью. Даже на Западе умудряемся жить вопреки существующим правилам...

Как-то Андрюша и Дарья позвали нас в гости. Приезжаем на Кронверкскую. В подъезде сидит милиционер. Снимает телефонную трубку:

— Андрей Николаевич, к вам!

И затем, поменяв выражение лица на чуть более строгое:

— Пройдите...

Поднимаемся в лифте. Заходим.

В прихожей Даша шепнула:

— Извините, у нас медсестра.

Я сначала не понял. Я думал, кому-то из родителей плохо. Мне даже показалось, что нужно уходить.

Нам пояснили:

— Гена Лаврентьев привел медсестру. Это ужас. Девица в советской цигейковой шубе. Четвертый раз спрашивает, будут ли танцы. Только что выпила целую бутылку холодного пива... Ради бога, не сердитесь...

— Ничего, — говорю, — мы привыкшие...

Я тогда работал в заводской многотиражке. Моя жена была дамским парикмахером. Едва ли что-то могло нас шокировать.

А медсестру я потом разглядел. У нее были красивые руки, тонкие щиколотки, зеленые глаза и блестящий лоб. Она мне понравилась. Она много ела и даже за столом незаметно приплясывала.

Ее спутник, Лаврентьев, выглядел хуже. У него были пышные волосы и мелкие черты лица — сочетание гнусное. Кроме того, он мне надоел. Слишком долго рассказывал о поездке в Румынию. Кажется, я сказал ему, что Румыния мне ненавистна...

Шли годы. Виделись мы с Андреем довольно редко. С каждым годом все реже.

Мы не поссорились. Не испытали взаимного разочарования. Мы просто разошлись.

К этому времени я уже что-то писал. Андрей заканчивал свою кандидатскую диссертацию.

Его окружали веселые, умные, добродушные физики. Меня — сумасшедшие, грязные, претенциозные лирики. Его знакомые изредка пили коньяк с шампанским. Мои — систематически употребляли розовый портвейн. Его приятели декламировали в компании — Гумилева и Бродского. Мои читали исключительно собственные произведения.

Вскоре умер Николай Константинович Черкасов. Около Пушкинского театра состоялся митинг.

Народу было так много, что приостановилось уличное движение.

Черкасов был народным артистом. И не только по званию. Его любили профессора и крестьяне, генералы и уголовники. Такая же слава была у Есенина, Зощенко и Высоцкого.

Год спустя Нину Черкасову уволили из театра. Затем отобрали призы ее мужа. Заставили отдать международные награды, полученные Черкасовым в Европе. Среди них были ценные вещи из золота. Начальство заставило вдову передать их театральному музею.

Вдова, конечно, не бедствовала. У нее была дача, машина, квартира. Кроме того, у нее были сбережения. Даша с Андреем работали.

Мама изредка навещала вдову. Часами говорила с ней по телефону. Та жаловалась на сына. Говорила, что он невнимательный и эгоистичный.

Мама вздыхала:

— Твой хоть не пьет...

Короче, наши матери превратились в одинаково грустных и трогательных старух. А мы — в одинаково черствых и невнимательных сыновей. Хотя Андрюша был преуспевающим физиком, я же — диссидентствующим лириком.

Наши матери стали похожи. Однако не совсем. Моя почти не выходила из дома. Нина Черкасова бывала на всех премьерах. Кроме того, она собиралась в Париж.

Она бывала за границей и раньше. И вот теперь ей захотелось навестить старых друзей.

Происходило что-то странное. Пока был жив Черкасов, в доме ежедневно сидели гости. Это были знаменитые, талантливые люди — Мравинский, Райкин, Шостакович. Все они казались друзьями семьи. После смерти Николая Константиновича выяснилось, что это были его личные друзья.

В общем, советские знаменитости куда-то пропали. Оставались заграничные — Сартр, Ив Монтан, вдова художника Леже. И Нина Черкасова решила снова побывать во Франции.

За неделю до ее отъезда мы случайно встретились. Я сидел в библиотеке Дома журналистов, редактировал мемуары одного покорителя тундры. Девять глав из четырнадцати в этих мемуарах начинались одинаково: «Если говорить без ложной скромности...» Кроме того, я обязан был сверить ленинские цитаты.

И вдруг заходит Нина Черкасова. Я и не знал, что мы пользуемся одной библиотекой.

Она постарела. Одета была, как всегда, с незаметной, продуманной роскошью.

Мы поздоровались. Она спросила:

— Говорят, ты стал писателем?

Я растерялся. Я не был готов к такой постановке вопроса. Уж лучше бы она спросила: «Ты гений?» Я бы ответил спокойно и положительно. Все мои друзья изнывали под бременем гениальности. Все они называли себя гениями. А вот назвать себя писателем оказалось труднее.

Я сказал:

— Пишу кое-что для забавы...

В читальном зале было двое посетителей. Оба поглядывали в нашу сторону. Не потому, что узнавали вдову Черкасова. Скорее потому, что ощущали запах французских духов.

Она сказала:

— Знаешь, мне давно хотелось написать о Коле. Что-то наподобие воспоминаний.

— Напишите.

— Боюсь, что у меня нет таланта. Хотя всем знакомым нравились мои письма.

— Вот и напишите длинное письмо.

— Самое трудное — начать. Действительно, с чего все это началось? Может быть, со дня нашего знакомства? Или гораздо раньше?

— А вы так и начните.

— Как?

— «Самое трудное — начать. Действительно, с чего все это началось...»

— Пойми, Коля был всей моей жизнью. Он был моим другом. Он был моим учителем... Как ты думаешь, это грех — любить мужа больше, чем сына?

— Не знаю. Я думаю, у любви вообще нет размеров. Есть только — да или нет.

— Ты явно поумнел, — сказала она.

Потом мы беседовали о литературе. Я мог бы, не спрашивая, угадать ее кумиров — Пруст, Голсуорси, Фейхтвангер... Выяснилось, что она любит Пастернака и Цветаеву.

Тогда я сказал, что Пастернаку не хватало вкуса. А Цветаева, при всей ее гениальности, была клинической идиоткой...

Затем мы перешли на живопись. Я был уверен, что она восхищается импрессионистами. И не ошибся.

Тогда я сказал, что импрессионисты предпочитали минутное — вечному. Что лишь у Моне родовые тенденции преобладали над видовыми...

Черкасова грустно вздохнула:

— Мне казалось, что ты поумнел...

Мы проговорили более часа. Затем она попрощалась и вышла. Мне уже не хотелось редактировать воспоминания покорителя тундры. Я думал о нищете и богатстве. О жалкой и ранимой человеческой душе...

Когда-то я служил в охране. Среди заключенных попадались видные номенклатурные работники. Первые дни они сохраняли руководящие манеры. Потом органически растворялись в лагерной массе.

Когда-то я смотрел документальный фильм о Париже. События происходили в оккупированной Франции. По улицам шли толпы беженцев. Я убедился, что порабощенные страны выглядят одинаково. Все разоренные народы — близнецы...

Вмиг облетает с человека шелуха покоя и богатства. Тотчас обнажается его израненная, сиротливая душа...

Прошло недели три. Раздался телефонный звонок. Черкасова вернулась из Парижа. Сказала, что заедет.

Мы купили халвы и печенья.

Она выглядела помолодевшей и немного таинственной. Французские знаменитости оказались гораздо благороднее наших. Приняли ее хорошо.

Мама спросила:

— Как одеты в Париже?

Нина Черкасова ответила:

— Так, как считают нужным.

Затем она рассказывала про Сартра и его немыслимые выходки. Про репетиции в театре «Соле». Про семейные неурядицы Ива Монтана.

Она вручила нам подарки. Маме — изящную театральную сумочку. Лене — косметический набор. Мне досталась старая вельветовая куртка.

Откровенно говоря, я был немного растерян. Куртка явно требовала чистки и ремонта. Локти блестели. Пуговиц не хватало. У ворота и на рукаве я заметил следы масляной краски.

Я даже подумал — лучше бы привезла авторучку. Но вслух произнес:

— Спасибо. Зря беспокоились.

Не мог же я крикнуть: «Где вам удалось приобрести такое старье?!»

А куртка действительно была старая. Такие куртки, если верить советским плакатам, носят американские безработные.

Черкасова как-то странно поглядела на меня и говорит:

— Это куртка Фернана Леже. Он был приблизительно твоей комплекции.

Я с удивлением переспросил:

— Леже? Тот самый?

— Когда-то мы были с ним очень дружны. Потом я дружила с его вдовой. Рассказала ей о твоем существовании. Надя полезла в шкаф. Достала эту куртку и протянула мне. Она говорит, что Фернан завещал ей быть другом всякого сброда...

Я надел куртку. Она была мне впору. Ее можно было носить поверх теплого свитера. Это было что-то вроде короткого осеннего пальто.

Нина Черкасова просидела у нас до одиннадцати. Затем она вызвала такси.

Я долго разглядывал пятна масляной краски. Теперь я жалел, что их мало. Только два — на рукаве и у ворота.

Я стал вспоминать, что мне известно про Фернана Леже?

Это был высокий, сильный человек, нормандец, из крестьян. В пятнадцатом году отправился на фронт. Там ему случалось резать хлеб штыком, испачканным в крови. Фронтовые рисунки Леже проникнуты ужасом.

В дальнейшем он, подобно Маяковскому, боролся с искусством. Но Маяковский застрелился, а Леже выстоял и победил.

Он мечтал рисовать на стенах зданий и вагонов. Через полвека его мечту осуществила нью-йоркская шпана.

Ему казалось, что линия важнее цвета. Что искусство, от Шекспира до Эдит Пиаф, живет контрастами.

Его любимые слова:

«Ренуар изображал то, что видел. Я изображаю то, что понял...»

Умер Леже коммунистом, раз и навсегда поверив величайшему, беспрецедентному шарлатанству. Не исключено, что, как многие художники, он был глуп.

Я носил куртку лет восемь. Надевал ее в особо торжественных случаях. Хотя вельвет за эти годы истерся так, что следы масляной краски пропали.

О том, что куртка принадлежала Фернану Леже, знали немногие. Мало кому я об этом рассказывал. Мне было приятно хранить эту жалкую тайну.

Шло время. Мы оказались в Америке. Нина Черкасова умерла, завещав маме полторы тысячи рублей. В Союзе это большие деньги.

Получить их в Нью-Йорке оказалось довольно трудно. Это потребовало бы невероятных хлопот и усилий.

Мы решили поступить иначе. Оформили доверенность на имя моего старшего брата. Но и это оказалось делом хлопотным и нелегким. Месяца два я возился с бумагами. Одну из них собственноручно подписал мистер Шульц.

В августе брат сообщил мне, что деньги получены. Выражений благодарности не последовало. Может быть, деньги того и не стоят.

Брат иногда звонит мне рано утром. То есть по ленинградскому времени — глубокой ночью. Голос у него в таких случаях бывает подозрительно хриплый. Кроме того, доносятся женские восклицания:

— Спроси насчет косметики!..

Или:

— Объясни ему, дураку, что лучше всего идут синтетические шубы под норку...

Вместо этого братец мой спрашивает:

— Ну как дела в Америке? Говорят, там водка продается круглосуточно?

— Сомневаюсь. Но бары, естественно, открыты.

— А пиво?

— Пива в ночных магазинах сколько угодно.

Следует уважительная пауза. И затем:

— Молодцы капиталисты, дело знают!..

Я спрашиваю:

— Как ты?

— На букву ха, — отвечает, — в смысле — хорошо...

Впрочем, мы отвлеклись. У Андрея Черкасова тоже все хорошо. Зимой он станет доктором физических наук. Или физико-математических... Какая разница?

ПОПЛИНОВАЯ РУБАШКА

Моя жена говорит:

— Это безумие — жить с мужчиной, который не уходит только потому, что ленится...

Моя жена всегда преувеличивает. Хотя я действительно стараюсь избегать ненужных забот. Ем что угодно. Стригусь, когда теряю человеческий облик. Зато — уж сразу под машинку. Чтобы потом еще три месяца не стричься.

Попросту говоря, я неохотно выхожу из дома. Хочу, чтобы меня оставили в покое...

В детстве у меня была няня, Луиза Генриховна. Она все делала невнимательно, потому что боялась ареста. Однажды Луиза Генриховна надевала мне короткие штаны. И засунула мои ноги в одну штанину. В результате я проходил таким образом целый день.

Мне было четыре года, и я хорошо помню этот случай. Я знал, что меня одели неправильно. Но я молчал. Я не хотел переодеваться. Да и сейчас не хочу.

Я помню множество таких историй. С детства я готов терпеть все, что угодно, лишь бы избежать ненужных хлопот...

Когда-то я довольно много пил. И соответственно, болтался где попало. Из-за этого многие думали, что я общительный. Хотя стоило мне протрезветь — и общительности как не бывало.

При этом я не могу жить один. Я не помню, где лежат счета за электричество. Не умею гладить и стирать. А главное — мало зарабатываю.

Я предпочитаю быть один, но рядом с кем-то...

Моя жена всегда преувеличивает:

— Я знаю, почему ты все еще живешь со мной. Сказать?

— Ну, почему?

— Да просто тебе лень купить раскладушку!..

В ответ я мог бы сказать:

— А ты? Почему же ты не купила раскладушку? Почему не бросила меня в самые трудные годы? Ты — умеющая штопать, стирать, выносить малознакомых людей, а главное — зарабатывать деньги!..

Познакомились мы двадцать лет назад. Я даже помню, что это было воскресенье. Восемнадцатое февраля. День выборов.

По домам ходили агитаторы. Уговаривали жильцов проголосовать как можно раньше. Я не спешил. Я раза три вообще не голосовал. Причем не из диссидентских соображений. Скорее — из ненависти к бессмысленным действиям.

И вот раздается звонок. На пороге — молодая женщина в осенней куртке. По виду — школьная учительница, то есть немного — старая дева. Правда, без очков, зато с коленкоровой тетрадью в руке.

Она заглянула в тетрадь и назвала мою фамилию. Я сказал:

— Заходите. Погрейтесь. Выпейте чаю...

Меня угнетали торчащие из-под халата ноги. У нас в роду это самая маловыразительная часть тела. Да и халат был в пятнах.

— Елена Борисовна, — представилась девушка, — ваш агитатор... Вы еще не голосовали...

Это был не вопрос, а сдержанный упрек. Я повторил:

— Хотите чаю?

Добавив из соображений приличия:

— Там мама...

Мать лежала с головной болью. Что не помешало ей довольно громко крикнуть:

— Попробуйте только съесть мою халву!

Я сказал:

— Проголосовать мы еще успеем.

И тут Елена Борисовна произнесла совершенно неожиданную речь:

— Я знаю, что эти выборы — сплошная профанация. Но что же я могу сделать? Я должна привести вас на избирательный участок. Иначе меня не отпустят домой.

— Ясно, — говорю, — только будьте поосторожнее. Вас за такие разговоры не похвалят.

— Вам можно доверять. Я это сразу поняла. Как только увидела портрет Солженицына.

— Это Достоевский. Но и Солженицына я уважаю...

Затем мы скромно позавтракали. Мать все-таки отрезала нам кусок халвы.

Разговор, естественно, зашел о литературе. Если Лена называла имя Гладилина, я переспрашивал:

— Толя Гладилин?

Если речь заходила о Шукшине, я уточнял:

— Вася Шукшин?

Когда же заговорили про Ахмадулину, я негромко воскликнул:

— Беллочка!..

Затем мы вышли на улицу. Дома были украшены флагами. На снегу валялись конфетные обертки. Дворник Гриша щеголял в ратиновом пальто.

Голосовать я не хотел. И не потому, что ленился. А потому, что мне нравилась Елена Борисовна. Стоит нам всем проголосовать, как ее отпустят домой...

Мы пошли в кино на «Иваново детство». Фильм был достаточно хорошим, чтобы я мог отнестись к нему снисходительно.

В ту пору я горячо хвалил одни лишь детективы. За то, что они дают мне возможность расслабиться.

А вот картины Тарковского я похваливал снисходительно. При этом намекая, что Тарковский лет шесть ждет от меня сценария.

Из кино мы направились в Дом литераторов. Я был уверен, что встречу какую-нибудь знаменитость. Можно было рассчитывать на дружеское приветствие Горышина. На пьяные объятия Вольфа. На беглый разговор с Ефимовым или Конецким. Ведь я был так называемым молодым писателем. И даже Гранин знал меня в лицо.

Когда-то в Ленинграде было много знаменитостей. Например, Чуковский, Олейников, Зощенко, Хармс и так далее. После войны их стало гораздо меньше. Одних за что-то расстреляли, другие переехали в Москву...

Мы поднялись в ресторан. Заказали вино, бутерброды, пирожные. Я собирался заказать омлет, но передумал. Старший брат всегда говорил мне: «Ты не умеешь есть цветную пищу».

Деньги я пересчитал, не вынимая руку из кармана.

В зале было пусто. Только у дверей сидел орденоносец Решетов, читая книгу. По тому, как он увлекся, было видно, что это его собственный роман. Я мог бы поспорить, что роман называется — «Иду к вам, люди!».

Мы выпили. Я рассказал три случая из жизни Евтушенко, которые произошли буквально на моих глазах.

А знаменитости все не появлялись. Хотя посетителей становилось все больше. К окну направился, скрипя протезом, беллетрист Горянский. У стойки бара расположились поэты Чикин и Штейнберг. Чикин говорил:

— Лучше всего, Боря, тебе удаются философские отступления.

— А тебе, Дима, внутренние монологи, — реагировал Штейнберг...

К знаменитостям Чикин и Штейнберг не принадлежали. Горянский был известен тем, что задушил охранника в немецком концентрационном лагере.

Мимо прошел довольно известный критик Халупович. Он долго разглядывал меня, потом сказал:

— Извините, я принял вас за Леву Мелиндера...

Мы заказали двести граммов коньяка. Денег оставалось мало, а знаменитостей все не было.

Видно, Елена Борисовна так и не узнает, что я многообещающий литератор.

И тут в ресторан заглянул писатель Данчковский. С известными оговорками его можно было назвать знаменитостью.

Когда-то в Ленинград приехали двое братьев из Шклова. Звали братьев — Савелий и Леонид Данчиковские. Они начали пробовать себя в литературе. Сочиняли песенки, куплеты, интермедии. Сначала писали вдвоем. Потом — каждый в отдельности.

Через год их пути разошлись еще более кардинально.

Младший брат решил укоротить свою фамилию. Теперь он подписывался — Данч. Но при этом оставался евреем.

Старший поступил иначе. Он тоже укоротил свою фамилию, выбросив единственную букву — «И». Теперь он подписывался — Данчковский. Зато из еврея стал обрусевшим поляком.

Постепенно между братьями возникла национальная рознь. Они то и дело ссорились на расовой почве.

— Оборотень, — кричал Леонид, — золоторотец, пьяный гой!

— Заткнись, жидовская морда! — отвечал Савелий.

Вскоре началась борьба с космополитами. Леонида арестовали. Савелий к этому времени закончил институт марксизма-ленинизма.

Он начал печататься в толстых журналах. У него вышла первая книга. О нем заговорили критики.

Постепенно он стал «ленинианцем». То есть создателем бесконечной и неудержимой ленинианы.

Сначала он написал книгу «Володино детство». Затем — небольшую повесть «Мальчик из Симбирска». После этого выпустил двухтомник «Юность огневая». И наконец, трилогию — «Вставай, проклятьем заклейменный!».

Исчерпав биографию Ленина, Данчковский взялся за смежные темы. Он написал книгу «Ленин и дети». Затем — «Ленин и музыка», «Ленин и живопись», а также «Ленин и сельское хозяйство». Все эти книги были переведены на многие языки.

Данчковский разбогател. Был награжден орденом «Знак почета». К этому времени его брата посмертно реабилитировали.

Данчковский хорошо меня знал, поскольку больше года руководил нашим литературным объединением.

И вот он появился в ресторане.

Я, понизив голос, шепнул Елене Борисовне:

— Обратите внимание — Данчковский, собственной персоной... Бешеный успех... Идет на Ленинскую премию...

Данчковский направился в угол, подальше от музыкального автомата. Проходя мимо нас, он замедлил шаги.

Я фамильярно приподнял бокал. Данчковский, не здороваясь, отчетливо выговорил:

— Читал я твою юмореску в «Авроре». По-моему, говно...

Мы просидели в ресторане часов до одиннадцати. Избирательный участок давно закрылся. Потом закрылся ресторан. Мать лежала с головной болью. А мы еще гуляли по набережной Фонтанки.

Елена Борисовна удивляла меня своей покорностью. Вернее, даже не покорностью, а равнодушием к фактической стороне жизни. Как будто все происходящее мелькало на экране.

Она забыла про избирательный участок. Пренебрегла своими обязанностями. Как выяснилось, она даже не проголосовала.

И все это ради чего? Ради неясных отношений с человеком, который пишет малоудачные юморески.

Я, конечно, тоже не проголосовал. Я тоже пренебрег своими гражданскими обязанностями. Но я вообще особый человек. Так неужели мы похожи?

За плечами у нас двадцать лет брака. Двадцать лет взаимной обособленности и равнодушия к жизни.

При этом у меня есть стимул, цель, иллюзия, надежда. А у нее? У нее есть только дочь и равнодушие.

Я не помню, чтобы Лена возражала или спорила. Вряд ли она хоть раз произнесла уверенное, звонкое — «да» или тяжеловесное, суровое — «нет».

Ее жизнь проходила как будто на экране телевизора. Менялись кадры, лица, голоса, добро и зло спешили в одной упряжке. А моя любимая, поглядывая в сторону экрана, занималась более важными делами...

Решив, что мать уснула, я пошел домой. Я даже не сказал Елене Борисовне: «Пойдемте ко мне». Я даже не взял ее за руку.

Просто мы оказались дома. Это было двадцать лет назад.

За эти годы влюблялись, женились и разводились наши друзья. Они писали на эту тему стихи и романы. Переезжали из одной республики в другую. Меняли род занятий, убеждения, привычки. Становились диссидентами и алкоголиками. Покушались на чужую или собственную жизнь.

Кругом возникали и с грохотом рушились прекрасные, таинственные миры. Как туго натянутые струны, лопались человеческие отношения. Наши друзья заново рождались и умирали в поисках счастья.

А мы? Всем соблазнам и ужасам жизни мы противопоставили наш единственный дар — равнодушие. Спрашивается, что может быть долговечнее замка, выстроенного на песке?.. Что в семейной жизни прочнее и надежнее обоюдной бесхарактерности?.. Что можно представить себе благополучнее двух враждующих государств, не способных к обороне?..

Я работал в многотиражной газете. Получал около ста рублей. Плюс какие-то малосущественные надбавки. Так, мне припоминаются ежемесячные четыре рубля «за освоение более совершенных методов хозяйствования».

Подобно большинству журналистов, я мечтал написать роман. И, не в пример большинству журналистов, действительно занимался литературой. Но мои рукописи были отклонены самыми прогрессивными журналами.

Сейчас я могу этому только радоваться. Благодаря цензуре мое ученичество затянулось на семнадцать лет. Рассказы, которые я хотел напечатать в те годы, представляются мне сейчас абсолютно беспомощными. Достаточно того, что один рассказ назывался «Судьба Фаины».

Лена не читала моих рассказов. Да я и не предлагал. А она не хотела проявлять инициативу.

Три вещи может сделать женщина для русского писателя. Она может кормить его. Она может искренне поверить в его гениальность. И наконец, женщина может оставить его в покое. Кстати, третье не исключает второго и первого.

Лена не интересовалась моими рассказами. Не уверен даже, что она хорошо себе представляла, где я работаю. Знала только, что пишу.

Я знал о ней примерно столько же.

Сначала моя жена работала в парикмахерской. После истории с выборами ее уволили. Она стала корректором. Затем, совершенно неожиданно для меня, окончила полиграфический институт. Поступила, если не ошибаюсь, в какое-то спортивное издательство. Зарабатывала вдвое больше меня.

Трудно понять, что нас связывало. Разговаривали мы чаще всего по делу. Друзья были у каждого свои. И даже книги мы читали разные.

Моя жена всегда раскрывала ту книгу, что лежала ближе. И начинала читать с любого места.

Сначала меня это злило. Затем я убедился, что книги ей всегда попадаются хорошие. Не то что мне. Уж если я раскрою случайную книгу, то это непременно будет «Поднятая целина»...

Что же нас связывало? И как вообще рождается человеческая близость? Все это не так просто.

У меня, например, есть двоюродные братья. Все трое — пьяницы и хулиганы. Одного я люблю, к другому равнодушен, а с третьим просто незнаком...

Так мы и жили — рядом, но каждый в отдельности. Подарками обменивались в редчайших случаях. Иногда я говорил:

— Надо бы для смеха подарить тебе цветы.

Лена отвечала:

— У меня все есть...

Да и я не ждал подарков.

Меня это устраивало. А то я знал одну семью. Муж работал с утра до ночи. Жена смотрела телевизор и ходила по магазинам. Говоря при этом:

«Купила Марику на день рожденья тюлевые занавески — обалдеть!..»

Так мы прожили года четыре. Потом родилась дочка — Катя. В этом была неожиданная серьезность и ощущение чуда. Нас было двое, и вдруг появился еще один человек — капризный, шумный, требующий заботы.

Дочку мы почти не воспитывали, только любили. Тем более что она довольно много хворала, начиная с пятимесячного возраста.

В общем, после рождения дочери стало ясно, что мы женаты. Катя заменила нам брачное свидетельство.

Помню, зашел я с коляской в редакцию журнала «Аврора». Мне причитался там небольшой гонорар. Чиновница раскрыла ведомость:

— Распишитесь.

И добавила:

— Шестнадцать рублей мы вычли за бездетность.

— Но у меня, — говорю, — есть дочка.

— Надо представить соответствующий документ.

— Пожалуйста.

Я вынул из коляски розовый пакет. Осторожно положил его на стол главного бухгалтера. Сохранил таким образом шестнадцать рублей...

Отношения мои с женой не изменились. Вернее, почти не изменились. Теперь нашему личному равнодушию противостояла общая забота. Например, мы вместе купали дочку...

Однажды Лена поехала на службу. Я задержался дома. Стал, как всегда, разыскивать необходимые бумаги. Если не ошибаюсь, копию издательского договора.

Я рылся в шкафах. Выдвигал один за другим ящики письменного стола. Даже в ночную тумбочку заглянул.

Там, под грудой книг, журналов, старых писем, я нашел альбом. Это был маленький, почти карманный альбом для фотографий. Листов пятнадцать толстого картона с рельефным изображением голубя на обложке.

Я раскрыл его. Первые фотографии были желтоватые, с трещинами. Некоторые без уголков. На одной — круглолицая малышка гладила собаку. Точнее говоря, осторожно к ней прикасалась. Лохматая собака прижимала уши. На другой — шестилетняя девочка обнимала самодельную куклу. Вид у обеих был печальный и растерянный.

Потом я увидел семейную фотографию — мать, отец и дочка. Отец был в длинном плаще и соломенной шляпе. Из рукавов едва виднелись кончики пальцев. У жены его была теплая кофта с высокими плечами, локоны, газовый шарфик. Девочка резко повернулась в сторону. Так, что разлетелось ее короткое осеннее пальто. Что-то привлекло ее внимание за кадром. Может, какая-нибудь бродячая собака. Позади, за деревьями, виднелся фасад царскосельского Лицея.

Далее промелькнули родственники с напряженными искусственными улыбками. Пожилой усатый железнодорожник в форме, дама около бюста Ленина, юноша на мотоцикле. Затем появился моряк или, вернее, курсант. Даже на фотографии было видно, как тщательно он побрит. Курсанту заглядывала в лицо девица с букетиком ландышей.

Целый лист занимала глянцевая школьная карточка. Четыре ряда испуганных, напряженных, замерших физиономий. Ни одного веселого детского лица.

В центре — группа учителей. Двое из них с орденами, возможно — бывшие фронтовики. Среди других — классная руководительница. Ее легко узнать. Старуха обнимает за плечи двух натянуто улыбающихся школьниц.

Слева, в третьем ряду — моя жена. Единственная не смотрит в аппарат.

Я узнавал ее на всех фотографиях. На маленьком снимке, запечатлевшем группу лыжников. На микроскопическом фото, сделанном возле колхозной библиотеки. И даже на передержанной карточке, в толпе, среди едва различимых участников молодежного хора.

Я узнавал хмурую девочку в стоптанных туфлях. Смущенную барышню в дешевом купальнике под размашистой надписью «Евпатория». Студентку в платке возле колхозной библиотеки. И везде моя жена казалась самой печальной.

Я перевернул еще несколько страниц. Увидел молодого человека в шестигранной кепке, старушку, заслонившуюся рукой, неизвестную балерину.

Мне попалась фотография артиста Яковлева. Точнее, открытка с его изображением. Снизу каллиграфическим почерком было выведено: «Лена! Служение искусству требует всего человека, без остатка. Рафик Абдуллаев»...

Я раскрыл последнюю страницу. И вдруг у меня перехватило дыхание. Даже не знаю, чему я так удивился. Но почувствовал, как у меня багровеют щеки.

Я увидел квадратную фотографию, размером чуть больше почтовой марки. Узкий лоб, запущенная борода, наружность матадора, потерявшего квалификацию.

Это была моя фотография. Если не ошибаюсь — с прошлогоднего удостоверения. На белом уголке виднелись следы заводской печати.

Минуты три я просидел не двигаясь. В прихожей тикали часы. За окном шумел компрессор. Слышалось позвякивание лифта. А я все сидел.

Хотя, если разобраться, что произошло? Да ничего особенного. Жена поместила в альбом фотографию мужа. Это нормально.

Но я почему-то испытывал болезненное волнение. Мне было трудно сосредоточиться, чтобы уяснить его причины. Значит, все, что происходит, — серьезно. Если я впервые это чувствую, то сколько же любви потеряно за долгие годы?..

У меня не хватало сил обдумать происходящее. Я не знал, что любовь может достигать такой силы и остроты.

Я подумал: «Если у меня сейчас трясутся руки, что же будет потом?»

В общем, я собрался и поехал на работу...

Прошло лет шесть, началась эмиграция. Евреи заговорили об исторической родине.

Раньше полноценному человеку нужны были дубленка и кандидатская степень. Теперь к этому добавился израильский вызов.

О нем мечтал любой интеллигент. Даже если не собирался эмигрировать. Так, на всякий случай.

Сначала уезжали полноценные евреи. За ними устремились граждане сомнительного происхождения. Еще через год начали выпускать русских. Среди них по израильским документам выехал наш знакомый, отец Маврикий Рыкунов.

И вот моя жена решила эмигрировать. А я решил остаться.

Трудно сказать, почему я решил остаться. Видимо, еще не достиг какой-то роковой черты. Все еще хотел исчерпать какие-то неопределенные шансы. А может, бессознательно стремился к репрессиям. Такое случается. Грош цена российскому интеллигенту, не побывавшему в тюрьме...

Меня поразила ее решимость. Ведь Лена казалась зависимой и покорной. И вдруг — такое серьезное, окончательное решение.

У нее появились заграничные бумаги с красными печатями. К ней приходили суровые, бородатые отказники. Оставляли инструкции на папиросной бумаге. Недоверчиво поглядывали в мою сторону.

А я до последней минуты не верил. Слишком уж все это было невероятно. Как путешествие на Марс.

Клянусь, до последней минуты не верил. Знал и не верил. Так чаще всего и бывает.

И эта проклятая минута наступила. Документы были оформлены, виза получена. Катя раздала подругам фантики и марки. Оставалось только купить билеты на самолет.

Мать плакала. Лена была поглощена заботами. Я отодвинулся на задний план.

Я и раньше не заслонял ее горизонтов. А теперь ей было и вовсе не до меня.

И вот Лена поехала за билетами. Вернулась с коробкой. Подошла ко мне и говорит:

— У меня оставались лишние деньги. Это тебе.

В коробке лежала импортная поплиновая рубаха. Если не ошибаюсь, румынского производства.

— Ну что ж, — говорю, — спасибо. Приличная рубаха, скромная и доброкачественная. Да здравствует товарищ Чаушеску!..

Только куда я в ней пойду? В самом деле — куда?!

ЗИМНЯЯ ШАПКА

С ноябрьских праздников в Ленинграде установились морозы. Собираясь в редакцию, я натянул уродливую лыжную шапочку, забытую кем-то из гостей. Сойдет, думаю, тем более что в зеркало я не глядел уже лет пятнадцать.

Приезжаю в редакцию. Как всегда, опаздываю минут на сорок. Соответственно, принимаю дерзкий и решительный вид.

Обстановка в комнате литсотрудников — мрачная. Воробьев драматически курит. Сидоровский глядит в одну точку. Делюкин говорит по телефону шепотом. У Милы Дорошенко вообще заплаканные глаза.

— Салют, — говорю, — что приуныли, трубадуры режима?!

Молчат. И только Сидоровский хмуро откликается:

— Твой цинизм, Довлатов, переходит все границы.

Явно, думаю, что-то случилось. Может, нас всех лишили прогрессивки?..

— Что за траур, — спрашиваю, — где покойник?

— В Куйбышевском морге, — отвечает Сидоровский, — похороны завтра.

Еще не легче. Наконец Делюкин кончил разговор и тем же шепотом объяснил:

— Раиса отравилась. Съела три коробки нембутала.

— Так, — говорю, — ясно. Довели человека!..

Раиса была нашей машинисткой — причем весьма квалифицированной. Работала она быстро, по слепому методу. Что не мешало ей замечать бесчисленное количество ошибок.

Правда, замечала их Раиса только на бумаге. В жизни Рая делала ошибки постоянно.

В результате она так и не получила диплома. К тому же в двадцать пять лет стала матерью-одиночкой. И наконец, занесло Раису в промышленную газету с давними антисемитскими традициями.

Будучи еврейкой, она так и не смогла к этому привыкнуть. Она дерзила редактору, выпивала, злоупотребляла косметикой. Короче, не ограничивалась своим еврейским происхождением. Шла в своих пороках дальше.

Раису бы, наверное, терпели, как и всех других семитов. Но для этого ей пришлось бы вести себя разумнее. То есть глубокомысленно, скромно и чуточку виновато. Она же без конца демонстрировала типично христианские слабости.

С октября Раису начали травить. Ведь чтобы ее уволить, нужны были формальные основания. Необходимо было объявить ей три или четыре выговора.

Редактор Богомолов начал действовать. Он провоцировал Раю на грубость. По утрам караулил ее с хронометром в руках. Мечтал уличить ее в неблагонадежности. Или хотя бы увидеть в редакции пьяной.

Все это совершалось при единодушном молчании окружающих. Хотя почти все наши мужчины то и дело ухаживали за Раисой. Она была единственной свободной женщиной в редакции.

И вот Раиса отравилась. Целый день все ходили мрачные и торжественные. Разговаривали тихими, внушительными голосами. Воробьев из отдела науки сказал мне:

— Я в ужасе, старик! Пойми, я в ужасе! У нас были такие сложные, запутанные отношения. Как говорится, тысяча и одна ночь... Ты знаешь, я женат, а Рая человек с характером... Отсюда всяческие комплексы... Надеюсь, ты меня понимаешь?..

В буфете ко мне подсел Делюкин. Подбородок его был запачкан яичным желтком. Он сказал:

— Раиса-то, а?! Ты подумай! Молодая, здоровая девка!

— Да, — говорю, — ужасно.

— Ужасно... Ведь мы с Раисой были не просто друзьями. Надеюсь, ты понимаешь, о чем я говорю? У нас были странные, мучительные отношения. Я — позитивист, романтик, где-то жизнелюб. А Рая была человеком со всяческими комплексами. В чем-то мы объяснялись на разных языках...

Даже Сидоровский, наш фельетонист, остановил меня:

— Пойми, я не религиозен, и все-таки самоубийство — это грех! Кто мы такие, чтобы распоряжаться собственной жизнью?!. Раиса не должна была так поступать! Задумывалась ли она, какую тень бросает на редакцию?!

— Не уверен. И вообще, при чем тут редакция?

— У меня, как это ни смешно, есть профессиональная гордость!

— У меня тоже. Но у меня другая профессия.

— Хамить не обязательно. Я собирался поговорить о Рае.

— У вас были сложные, запутанные отношения?

— Как ты узнал?

— Догадался.

— Для меня ее поступок оскорбителен. Ты, конечно, скажешь, что я излишне эмоционален. Да, я эмоционален. Может быть, даже излишне эмоционален. Но у меня есть железные принципы. Надеюсь, ты понимаешь, что я хочу сказать?!

— Не совсем.

— Я хочу сказать, что у меня есть принципы...

И вдруг мне стало тошно. Причем до такой степени, что у меня заболела голова. Я решил уволиться, точнее — даже не возвращаться после обеда за своими бумагами. Просто взять и уйти без единого слова. Именно так — миновать проходную, сесть в автобус... А дальше? Что будет дальше, уже не имело значения. Лишь бы уйти из редакции с ее железными принципами, фальшивым энтузиазмом, неосуществимыми мечтами о творчестве...

Я позвонил моему старшему брату. Мы встретились около гастронома на Таврической. Купили все, что полагается.

Боря говорит:

— Поехали в гостиницу «Советская», там живут мои друзья из Львова.

Друзья оказались тремя сравнительно молодыми женщинами. Звали женщин — Софа, Рита и Галина Павловна. Документальный фильм, который они снимали, назывался «Мощный аккорд». Речь в нем шла о комбинированном питании для свиней.

Гостиницу «Советская» построили лет шесть назад. Сначала здесь жили одни иностранцы. Потом иностранцев неожиданно выселили. Дело в том, что из окон последних этажей можно было фотографировать цеха судостроительного завода «Адмиралтеец».

Злые языки переименовали гостиницу «Советскую» — в «Антисоветскую»...

Женщины из киногруппы мне понравились. Действовали они быстро и решительно. Принесли стулья, достали тарелки и рюмки, нарезали колбасу. То есть выказали полную готовность отдыхать и развлекаться днем. А Софа даже открыла консервы маникюрными ножницами.

Брат сказал:

— Поехали!

Он выпил, раскраснелся, снял пиджак. Я тоже хотел снять пиджак, но Рита меня остановила:

— Спуститесь за лимонадом.

Я пошел в буфет. Через три минуты вернулся. За это время женщины успели полюбить моего брата. Причем все три одновременно. К тому же их любовь носила оскорбительный для меня характер. Если я тянулся к шпротам, Софа восклицала:

— Почему вы не едите кильки? Шпроты предпочитает Боря!

Если я наливал себе водку, Рита проявляла беспокойство:

— Пейте «Московскую». Боря говорит, что «Столичная» лучше!

Даже сдержанная Галина Павловна вмешалась:

— Курите «Аврору». Боре нравятся импортные сигареты.

— Мне тоже, — говорю, — нравятся импортные сигареты.

— Типичный снобизм, — возмутилась Галина Павловна.

Стоило моему брату произнести любую глупость, как женщины начинали визгливо хохотать. Например, он сказал, закусывая кабачковой икрой:

— По-моему, эта икра уже была съедена.

И все захохотали.

А когда я стал рассказывать, что отравилась наша машинистка, все закричали:

— Перестаньте!..

Так прошло часа два. Я все думал, что женщины наконец поссорятся из-за моего брата. Этого не случилось. Наоборот, они становились все более дружными, как жены престарелого мусульманина.

Боря рассказывал сплетни про киноактеров. Напевал блатные песенки. Опьянев, расстегнул Галине Павловне кофту. Я же опустился настолько, что раскрыл вчерашнюю газету.

Потом Рита сказала:

— Я еду в аэропорт. Мне нужно встретить директора картины. Сергей, проводите меня.

Ничего себе, думаю. Боря ест шпроты. Боря курит «Джебел». Боря пьет «Столичную». А провожать эту старую галошу должен я?!

Брат сказал:

— Поезжай. Все равно ты читаешь газету.

— Ладно, — говорю, — поехали. Унижаться, так до конца.

Я натянул свою лыжную шапочку. Рита облачилась в дубленку. Мы спустились в лифте и подошли к остановке такси.

Начинало темнеть. Снег казался голубоватым. В сумерках растворялись неоновые огни.

Мы были на стоянке первыми. Рита всю дорогу молчала. Произнесла одну-единственную фразу:

— Вы одеваетесь, как босяк!

Я ответил:

— Ничего страшного. Представьте себе, что я монтер или водопроводчик. Аристократка торопится домой в сопровождении электромонтера. Все нормально.

Подошла машина. Я взялся за ручку. Откуда-то выскочили двое рослых парней. Один говорит:

— Мы спешим, борода!

И пытается отодвинуть меня в сторону. Второй протискивается на заднее сиденье.

Это было уже слишком. Весь день я испытывал сплошные негативные эмоции. А тут еще — прямое уличное хамство. Вся моя сдерживаемая ярость устремилась наружу. Я мстил этим парням за все свои обиды. Тут все соединилось: Рая, газетная поденщина, нелепая лыжная шапочка и даже любовные успехи моего брата.

Я размахнулся, вспомнив уроки тяжеловеса Шарафутдинова. Размахнулся и — опрокинулся на спину.

Я не понимаю, что тогда случилось. То ли было скользко. Или центр тяжести у меня слишком высоко... Короче, я упал. Увидел небо, такое огромное, бледное, загадочное. Такое далекое от всех моих невзгод и разочарований. Такое чистое.

Я любовался им, пока меня не ударили ботинком в глаз. И все померкло...

Очнулся я под звуки милицейских свистков. Я сидел, опершись на мусорный бак. Справа от меня толпились люди. Левая сторона действительности была покрыта мраком.

Рита что-то объясняла старшине милиции. Ее можно было принять за жену ответственного работника. А меня — за его личного шофера. Поэтому милиционер так внимательно слушал.

Я уперся кулаками в снег. Буксуя, попытался выпрямиться. Меня качнуло. К счастью, подбежала Рита.

Мы снова ехали в лифте. Одежда моя была в грязи. Лыжная шапка отсутствовала. Ссадина на щеке кровоточила.

Рита обнимала меня за талию. Я попытался отодвинуться. Ведь теперь я ее компрометировал по-настоящему. Но Рита прижалась ко мне и шепотом выговорила:

— До чего ты красив, злодей!

Лифт, тихо звякнув, остановился на последнем этаже. Мы оказались в том же гостиничном номере. Брат целовался с Галиной Павловной. Софа тянула его за рубашку, повторяя:

— Дурачок, она тебе в матери годится...

Увидев меня, брат поднял страшный крик. Даже хотел бежать куда-то, но передумал и остался. Меня окружили женщины.

Происходило что-то странное. Когда я был нормальным человеком, мной пренебрегали. Теперь, когда я стал почти инвалидом, женщины окружили меня вниманием. Они буквально сражались за право лечить мой глаз.

Рита обтирала влажной тряпочкой мое лицо. Галина Павловна развязывала шнурки на ботинках. Софа зашла дальше всех — она расстегивала мне брюки.

Брат пытался что-то говорить, давать советы, но его одергивали. Если он вносил какое-то предложение, женщины реагировали бурно.

— Замолчи! Пей свою дурацкую водку! Ешь свои паршивые консервы! Обойдемся без тебя!

Дождавшись паузы, я все-таки рассказал о самоубийстве нашей машинистки. На этот раз меня выслушали с огромным интересом. А Галина Павловна чуть не расплакалась:

— Обратите внимание! У Сережи — единственный глаз! Но этим единственным глазом он видит значительно больше, чем иные люди — двумя...

После этого Рита сказала:

— Я не поеду в аэропорт. Мы едем в травматологический пункт. А директора картины встретит Боря.

— Я его не знаю, — сказал мой брат.

— Ничего. Дашь объявление по радио.

— Но я же пьяный.

— А он, думаешь, приедет трезвый?..

Мы с Ритой отправились в травматологический пункт на улицу Гоголя, девять. В приемной ожидали люди с разбитыми физиономиями. Некоторые стонали.

Рита, не дожидаясь очереди, прошла к врачу. Ее роскошная дубленка и здесь произвела необходимое впечатление. Я слышал, как она громко поинтересовалась:

— Если моему хахалю рожу набили, куда обратиться?

И тотчас же помахала мне рукой:

— Заходи!

Я просидел у врача минут двадцать. Врач сказал, что я легко отделался. Сотрясения мозга не было, зрачок остался цел. А синяк через неделю пройдет.

Затем врач спросил:

— Чем это вас саданули — кирпичиной?

— Ботинком, — говорю.

Врач уточнил:

— Наверное, скороходовским ботинком?

И добавил:

— Когда же мы научимся выпускать изящную советскую обувь?!.

Короче, все было не так уж страшно. Единственной потерей, таким образом, можно было считать лыжную шапочку.

Домой я приехал около часа ночи. Лена сухо выговорила:

— Поздравляю.

Я рассказал ей, что произошло. В ответ прозвучало:

— Вечно с тобой происходят фантастические истории...

Рано утром позвонил мой брат. Настроение у меня было гнусное. В редакцию ехать не хотелось. Денег не было. Будущее тонуло во мраке.

К тому же в моем лице появилось нечто геральдическое. Левая его сторона потемнела. Синяк переливался всеми цветами радуги. О том, чтобы выйти на улицу, страшно было подумать.

Но брат сказал:

— У меня к тебе важное дело. Надо провернуть одну финансовую махинацию. Я покупаю в кредит цветной телевизор. Продаю его за наличные деньги одному типу. Теряю на этом рублей пятьдесят. А получаю более трехсот с рассрочкой на год. Уяснил?

— Не совсем.

— Все очень просто. Эти триста рублей я получаю как бы в долг. Расплачиваюсь с мелкими кредиторами. Выбираюсь из финансового тупика. Обретаю второе дыхание. А долг за телевизор буду регулярно и спокойно погашать в течение года. Ясно? Рассуждая философски, один большой долг лучше, чем сотня мелких. Брать на год солиднее, чем выпрашивать до послезавтра. И наконец, красивее быть в долгу перед государством, чем одалживать у знакомых.

— Убедил, — говорю, — только при чем здесь я?

— Ты поедешь со мной.

— Еще чего не хватало!

— Ты мне нужен. У тебя более практический ум. Ты проследишь, чтобы я не растратил деньги.

— Но у меня разбита физиономия.

— Подумаешь! Кого это волнует?! Я привезу тебе солнечные очки.

— Сейчас февраль.

— Не важно. Ты мог прилететь из Абиссинии... Кстати, люди не знают, почему у тебя разбита физиономия. А вдруг ты отстаивал женскую честь?

— Примерно так оно и было.

— Тем более...

Я собрался уходить. Жене сказал, что еду в поликлинику. Лена говорит:

— Вот тебе рубль, купи бутылку подсолнечного масла.

Мы встретились с братом на Конюшенной площади. Он был в потертой котиковой шапке. Достал из кармана солнечные очки. Я говорю:

— Очки не спасут. Дай лучше шапку.

— А шапка спасет?

— В шапке хоть уши не мерзнут.

— Это верно. Мы будем носить ее по очереди.

Мы подошли к троллейбусной остановке. Брат сказал:

— Берем такси. Если мы поедем троллейбусом, это будет искусственно. У нас, можно сказать, полные карманы денег. У тебя есть рубль?

— Есть. Но я должен купить бутылку подсолнечного масла.

— Я же тебе говорю, деньги будут. Хочешь, я куплю тебе ведро подсолнечного масла?

— Ведро — это слишком. Но рубль, если можно, верни.

— Считай, что этот паршивый рубль у тебя в кармане...

Брат остановил машину. Мы поехали в Гостиный двор. Зашли в отдел радиотоваров. Боря исчез за прилавком с каким-то Мишаней. Уходя, протянул мне шапку:

— Твоя очередь. Надень.

Я ждал его минут двадцать, разглядывая приемники и телевизоры. Шапку я держал в руке. Казалось, всех интересует мой глаз. Если возникала миловидная женщина, я разворачивался правой стороной.

На секунду появился брат, возбужденный и радостный. Сказал мне:

— Все идет нормально. Я уже подписал кредитные документы. Только что явился покупатель. Сейчас ему выдадут телевизор. Жди...

Я стал ждать. Из отдела радиотоваров перебрался в детскую секцию. Узнал в продавце своего бывшего одноклассника Леву Гиршовича. Лева стал разглядывать мой глаз.

— Чем это тебя? — спрашивает.

Всех, подумал я, интересует — чем? Хоть бы один поинтересовался — за что?

— Ботинком, — говорю.

— Ты что, валялся на панели?

— Почему бы и нет?..

Лева рассказал мне дикую историю. На фабрике детских игрушек обнаружили крупное государственное хищение. Стали пропадать заводные медведи, танки, шагающие экскаваторы. Причем в огромных количествах. Милиция год занималась этим делом, но безуспешно.

Совсем недавно преступление было раскрыто. Двое чернорабочих этой фабрики прорыли небольшой тоннель. Он вел с территории предприятия на улицу Котовского. Работяги брали игрушки, заводили, ставили на землю. А дальше — медведи, танки, экскаваторы — шли сами. Нескончаемым потоком уходили с фабрики...

Тут я увидел через стекло моего брата. Пошел к нему.

Боря явно изменился. В его манерах появилось что-то аристократическое. Какая-то пресыщенность и ленивое барство.

Вялым, капризным голосом он произнес:

— Куда же ты девался?

Я подумал — вот как меняют нас деньги. Даже если они, в принципе, чужие.

Мы вышли на улицу. Брат хлопнул себя по карману:

— Идем обедать!

— Ты же сказал, что надо раздать долги.

— Да, я сказал, что надо раздать долги. Но я же не сказал, что мы должны голодать. У нас есть триста двадцать рублей шестьдесят четыре копейки. Если мы не пообедаем, это будет искусственно. А пить не обязательно. Пить мы не будем.

Затем он прибавил:

— Ты согрелся? Дай сюда мою шапку.

По дороге брат начал мечтать:

— Мы закажем что-нибудь хрустящее. Ты заметил, как я люблю все хрустящее?

— Да, — говорю, — например, «Столичную» водку.

Боря одернул меня:

— Не будь циником. Водка — это святое.

С печальной укоризной он добавил:

— К таким вещам надо относиться более или менее серьезно...

Мы перешли через дорогу и оказались в шашлычной. Я хотел пойти в молочное кафе, но брат сказал:

— Шашлычная — это единственное место, где разбитая физиономия является нормой...

Посетителей в шашлычной было немного. На вешалке темнели зимние пальто. По залу сновали миловидные девушки в кружевных фартуках. Музыкальный автомат наигрывал «Голубку».

У входа над стойкой мерцали ряды бутылок. Дальше, на маленьком возвышении, были расставлены столы.

Брат мой тотчас же заинтересовался спиртными напитками.

Я хотел остановить его:

— Вспомни, что ты говорил.

— А что я говорил? Я говорил — не пить. В смысле — не запивать. Не обязательно пить стаканами. Мы же интеллигентные люди. Выпьем по рюмке для настроения. Если мы совсем не выпьем, это будет искусственно.

И брат заказал поллитра армянского коньяка.

Я говорю:

— Дай мне рубль. Я куплю бутылку подсолнечного масла.

Он рассердился:

— Какой ты мелочный! У меня нет рубля, одни десятки. Вот разменяю деньги и куплю тебе цистерну подсолнечного масла...

Раздеваясь, брат протянул мне шапку:

— Твоя очередь, держи.

Мы сели в угол. Я развернулся к залу правой стороной.

Дальше все происходило стремительно. Из шашлычной мы поехали в «Асторию». Оттуда —

к знакомым из балета на льду. От знакомых — в бар Союза журналистов.

И всюду брат мой повторял:

— Если мы сейчас остановимся, это будет искусственно. Мы пили, когда не было денег. Глупо не пить теперь, когда они есть...

Заходя в очередной ресторан, Боря протягивал мне свою шапку. Когда мы оказывались на улице, я ему эту шапку с благодарностью возвращал.

Потом он зашел в театральный магазин на Рылеева. Купил довольно уродливую маску Буратино. В этой маске я просидел целый час за стойкой бара «Юность». К этому времени глаз мой стал фиолетовым.

К вечеру у брата появилась навязчивая идея. Он захотел подраться. Точнее, разыскать моих вчерашних обидчиков. Боре казалось, что он может узнать их в толпе.

— Ты же, — говорю, — их не видел.

— А для чего, по-твоему, существует интуиция?..

Он стал приставать к незнакомым людям. К счастью, все его боялись. Пока он не задел какого-то богатыря возле магазина «Галантерея».

Тот не испугался. Говорит:

— Первый раз вижу еврея-алкоголика!

Братец мой невероятно оживился. Как будто всю жизнь мечтал, чтобы оскорбили его национальное достоинство. Притом что он как раз евреем не был. Это я был до некоторой степени евреем. Так уж получилось. Запутанная семейная история. Лень рассказывать...

Кстати, Борина жена, в девичестве — Файнциммер, любила повторять: «Боря выпил столько моей крови, что теперь и он наполовину еврей!»

Раньше я не замечал в Боре кавказского патриотизма. Теперь он даже заговорил с грузинским акцентом:

— Я — еврей? Значит, я, по-твоему, — еврей?! Обижаешь, дорогой!..

Короче, они направились в подворотню. Я сказал:

— Перестань. Оставь человека в покое. Пошли отсюда.

Но брат уже сворачивал за угол, крикнув:

— Не уходи. Если появится милиция, свистни...

Я не знаю, что творилось в подворотне. Я только видел, как шарахались проходившие мимо люди.

Брат появился через несколько секунд. Нижняя губа его была разбита. В руке он держал совершенно новую котиковую шапку. Мы быстро зашагали к Владимирской площади.

Боря отдышался и говорит:

— Я ему дал по физиономии. И он мне дал по физиономии. У него свалилась шапка. И у меня свалилась шапка. Я смотрю — его шапка новее. Нагибаюсь, беру его шапку. А он, естественно, — мою. Я его изматерил. И он меня. На том и разошлись. А эту шапку я дарю тебе. Бери.

Я сказал:

— Купи уж лучше бутылку подсолнечного масла.

— Разумеется, — ответил брат, — только сначала выпьем. Мне это необходимо в порядке дезинфекции.

И он для убедительности выпятил разбитую губу...

Дома я оказался глубокой ночью. Лена даже не спросила, где я был. Она спросила:

— Где подсолнечное масло?

Я произнес что-то невнятное.

В ответ прозвучало:

— Вечно друзья пьют за твой счет!

— Зато, — говорю, — у меня есть новая котиковая шапка.

Что я мог еще сказать?

Из ванной я слышал, как она повторяет:

— Боже мой, чем все это кончится? Чем это кончится?..

ШОФЕРСКИЕ ПЕРЧАТКИ

С Юрой Шлиппенбахом мы познакомились на конференции в Таврическом дворце. Вернее, на совещании редакторов многотиражных газет. Я представлял газету «Турбостроитель». Шлиппенбах — ленфильмовскую многотиражку под названием «Кадр».

Докладывал второй секретарь обкома партии Болотников. В конце он сказал:

— У нас есть образцовые газеты, например «Знамя прогресса». Есть посредственные, типа «Адмиралтейца». Есть плохие, вроде «Турбостроителя». И наконец, есть уникальная газета «Кадр». Это нечто фантастическое по бездарности и скуке.

Я слегка пригнулся. Шлиппенбах, наоборот, горделиво выпрямился. Видимо, почувствовал себя гонимым диссидентом. Затем довольно громко крикнул:

— Ленин говорил, что критика должна быть обоснованной!

— Твоя газета, Юра, ниже всякой критики, — ответил секретарь...

В перерыве Шлиппенбах остановил меня и спрашивает:

— Извините, какой у вас рост?..

Я не удивился. Я к этому привык. Я знал, что далее последует такой абсурдный разговор:

«— Какой у тебя рост? — Сто девяносто четыре. — Жаль, что ты в баскетбол не играешь. — Почему не играю? Играю. — Я так и подумал...»

— Какой у вас рост? — спросил Шлиппенбах.

— Метр девяносто четыре. А что?

— Дело в том, что я снимаю любительскую кинокартину. Хочу предложить вам главную роль.

— У меня нет актерских способностей.

— Это не важно. Зато фактура подходящая.

— Что значит — фактура?

— Внешний облик.

Мы договорились встретиться на следующее утро.

Шлиппенбаха я и раньше знал по газетному сектору. Просто мы не были лично знакомы. Это был нервный худой человек с грязноватыми длинными волосами. Он говорил, что его шведские предки упоминаются в исторических документах. Кроме того, Шлиппенбах носил в хозяйственной сумке однотомник Пушкина. «Полтава» была заложена конфетной оберткой.

— Читайте, — нервно говорил Шлиппенбах.

И, не дожидаясь реакции, лающим голосом выкрикивал:

Пальбой отбитые дружины,
Мешаясь, катятся во прах.
Уходит Розен сквозь теснины,
Сдается пылкий Шлиппенбах...

В газетном секторе его побаивались. Шлиппенбах вел себя чрезвычайно дерзко. Может быть, сказывалась пылкость, доставшаяся ему в наследство от шведского генерала. А вот уступать и сдаваться Шлиппенбах не любил.

Помню, умер старый журналист Матюшин. Кто-то взялся собирать деньги на похороны. Обратились к Шлиппенбаху. Тот воскликнул:

— Я и за живого Матюшина рубля не дал бы. А за мертвого и пятака не дам. Пускай КГБ хоронит своих осведомителей...

При этом Шлиппенбах без конца занимал деньги у сослуживцев и возвращал их неохотно. Список кредиторов растянулся в его журналистском блокноте на два листа. Когда ему напоминали о долге, Шлиппенбах угрожающе восклицал:

— Будешь надоедать — вычеркну тебя из списка!..

Вечером после совещания он раза два звонил мне. Так, без конкретного повода. Вялый тон его говорил о нашей крепнущей близости. Ведь другу можно позвонить и без особой нужды.

— Тоска, — жаловался Шлиппенбах, — и выпить нечего. Лежу тут на диване в одиночестве, с женой...

Кончая разговор, он мне напомнил:

— Завтра все обсудим.

Утро мы провели в газетном секторе. Я вычитывал сверку, Шлиппенбах готовил очередной номер. То и дело он нервно выкрикивал:

— Куда девались ножницы?! Кто взял мою линейку?! Как пишется «Южно-Африканская Республика» — вместе или через дефис?!.

Затем мы пошли обедать.

В шестидесятые годы буфет Дома прессы относился к распределителям начального звена. В нем продавались говяжьи сосиски, консервы, икра, мармелад, языки, дефицитная рыба. Теоретически буфет обслуживал сотрудников Дома прессы. В том числе — журналистов из многотиражек. Практически же там могли оказаться и люди с улицы. Например, внештатные авторы. То есть постепенно распределитель становился все менее закрытым. А значит, дефицитных продуктов там оставалось все меньше. Наконец из былого великолепия уцелело лишь жигулевское пиво.

Буфет занимал всю северную часть шестого этажа. Окна выходили на Фонтанку. В трех залах могло одновременно разместиться больше ста человек.

Шлиппенбах затащил меня в нишу. Столик был рассчитан на двоих. Разговор нам, видно, предстоял сугубо конфиденциальный.

Мы заказали пиво и бутерброды. Шлиппенбах, слегка понизив голос, начал:

— Я обратился к вам, потому что ценю интеллигентных людей. Я сам интеллигентный человек. Нас мало. Откровенно говоря, нас должно быть еще меньше. Аристократы вымирают, как доисторические животные. Однако ближе к делу. Я решил снять любительский фильм. Хватит отдавать свои лучшие годы пошлой журналистике. Хочется настоящей творческой работы. В общем, завтра я приступаю к съемкам. Фильм будет минут на десять. Задуман он как сатирический памфлет. Сюжет таков. В Ленинграде появляется таинственный незнакомец. В нем легко узнать царя Петра. Того самого, который двести шестьдесят лет назад основал Петербург. Теперь великого государя окружает пошлая советская действительность. Милиционер грозит ему штрафом. Двое алкашей предлагают скинуться на троих. Фарцовщики хотят купить у царя ботинки. Чувихи принимают его за богатого иностранца. Сотрудники КГБ — за шпиона. И так далее. Короче, всюду пьянство и бардак. Царь в ужасе кричит: «Что я наделал?! Зачем основал этот блядский город?!»

Шлиппенбах захохотал так, что разлетелись бумажные салфетки. Потом добавил:

— Фильм будет, мягко говоря, аполитичный. Демонстрировать его придется на частных квартирах. Надеюсь, его посмотрят западные журналисты, что гарантирует международный резонанс. Последствия могут быть самыми неожиданными. Так что подумайте и взвесьте. Вы согласны?

— Вы же сказали — подумать.

— Сколько можно думать? Соглашайтесь.

— А где вы достанете оборудование?

— Об этом можете не беспокоиться. Я же работаю на «Леннаучфильме». У меня там все — друзья, начиная с Герберта Раппопорта и кончая последним осветителем. Техника в моем распоряжении. Камерой я владею с детских лет. Короче, думайте и решайте. Вы мне подходите. Ведь я могу доверить эту роль только своему единомышленнику. Завтра мы поедем на студию. Подберем соответствующий реквизит. Посоветуемся с гримером. И начнем.

Я сказал:

— Надо подумать.

— Я вам позвоню.

Мы расплатились и пошли в газетный сектор.

Актерских способностей у меня действительно не было. Хотя мои родители принадлежали к театральной среде. Отец был режиссером, мать — актрисой. Правда, глубокого следа в истории театра мои родители не оставили. Может быть, это даже хорошо...

Что касается меня, то я выступал на сцене дважды. Первый раз — еще в школе. Помню, мы инсценировали рассказ «Чук и Гек». Мне, как самому высокому, досталась роль отца-полярника. Я должен был выехать из тундры на лыжах, а затем произнести финальный монолог.

Тундру изображал за кулисами двоечник Прокопович. Он бешено каркал, выл и ревел по-медвежьи.

Я появился на сцене, шаркая ботинками и взмахивая руками. Так я изображал лыжника. Это была моя режиссерская находка. Дань театральной условности.

К сожалению, зрители не оценили моего формализма. Слушая вой Прокоповича и наблюдая мои таинственные движения, они решили, что я — хулиган. Хулиганья среди послевоенных школьников было достаточно.

Девочки стали возмущаться, мальчишки захлопали. Директор школы выбежал на сцену и утащил меня за кулисы. В результате финальный монолог произнесла учительница литературы.

Второй раз мне довелось быть актером года четыре назад. Я служил тогда в республиканской партийной газете и был назначен Дедом Морозом. Мне обещали за это три дня выходных и пятнадцать рублей.

Редакция устраивала новогоднюю елку для подшефного интерната. И опять я был самым высоким. Мне наклеили бороду, выдали шапку, тулуп и корзину с подарками. А затем выпустили на сцену.

Тулуп был узок. От шапки пахло рыбой. Бороду я чуть не сжег, пытаясь закурить.

Я дождался тишины и сказал:

— Здравствуйте, дорогие ребята! Вы меня узнаете?

— Ленин! Ленин! — крикнули из первых рядов.

Тут я засмеялся, и у меня отклеилась борода...

И вот теперь Шлиппенбах предложил мне главную роль.

Конечно, я мог бы отказаться. Но почему-то согласился. Вечно я откликаюсь на самые дикие предложения. Недаром моя жена говорит:

— Тебя интересует все, кроме супружеских обязанностей.

Моя жена уверена, что супружеские обязанности — это прежде всего трезвость.

Короче, мы поехали на «Леннаучфильм». Шлиппенбах позвонил в бутафорский цех какому-то Чипе. Нам выписали пропуск.

Помещение, в котором мы оказались, было заставлено шкафами и ящиками. Я почувствовал запах сырости и нафталина. Над головой мигали и потрескивали лампы дневного света. В углу темнело чучело медведя. По длинному столу гуляла кошка.

Из-за ширмы появился Чипа. Это был средних лет мужчина в тельняшке и цилиндре. Он долго смотрел на меня, а затем поинтересовался:

— Ты в охране служил?

— А что?

— Помнишь штрафной изолятор на Ропче?

— Ну.

— А помнишь, как зек на ремне удавился?

— Что-то припоминаю.

— Так это я был. Два часа откачивали, суки...

Чипа угостил нас разведенным спиртом. И вообще, проявил услужливость. Он сказал:

— Держи, гражданин начальник!

И выложил на стол целую кучу барахла. Там были высокие черные сапоги, камзол, накидка, шляпа. Затем Чипа достал откуда-то перчатки с раструбами. Такие, как у первых российских автолюбителей.

— А брюки? — напомнил Шлиппенбах.

Чипа вынул из ящика бархатные штаны с позументом.

Я в муках натянул их. Застегнуться мне не удалось.

— Сойдет, — заверил Чипа, — перетяните шпагатом.

Когда мы прощались, он вдруг говорит:

— Пока сидел, на волю рвался. А сейчас — поддам, и в лагерь тянет. Какие были люди — Сивый, Мотыль, Паровоз!..

Мы положили барахло в чемодан и спустились на лифте к гримеру. Вернее, к гримерше по имени Людмила Борисовна.

Между прочим, я был на «Леннаучфильме» впервые. Я думал, что увижу массу интересного — творческую суматоху, знаменитых актеров. Допустим, Чурсина примеряет импортный купальник, а рядом стоит охваченная завистью Тенякова.

В действительности «Леннаучфильм» напоминал гигантскую канцелярию. По коридорам циркулировали малопривлекательные женщины с бумагами. Отовсюду доносился стук пишущих машинок. Колоритных личностей мы так и не встретили. Я думаю, наиболее колоритным был Чипа с его тельняшкой и цилиндром.

Гримерша Людмила Борисовна усадила меня перед зеркалом. Некоторое время постояла у меня за спиной.

— Ну как? — поинтересовался Шлиппенбах.

— В смысле головы — не очень. Тройка с плюсом. А вот фактура — потрясающая.

При этом Людмила Борисовна трогала мою губу, оттягивала нос, касалась уха.

Затем она надела мне черный парик. Подклеила усы. Легким движением карандаша округлила щеки.

— Невероятно! — восхищался Шлиппенбах. — Типичный царь! Арап Петра Великого...

Потом я нарядился, и мы заказали такси. По студии я шел в костюме государя императора. Встречные оглядывались, но редко.

Шлиппенбах заглянул еще к одному приятелю. Тот выдал нам два черных ящика с аппаратурой. На этот раз — за деньги.

— Сколько? — поинтересовался Шлиппенбах.

— Четыре двенадцать, — был ответ.

— А мне говорили, что ты перешел на сухое вино.

— Ты и поверил?..

В такси Шлиппенбах объяснил мне:

— Сценарий можно не читать. Все будет построено на импровизации, как у Антониони. Царь Петр оказывается в современном Ленинграде. Все ему здесь отвратительно и чуждо. Он заходит в продуктовый магазин. Кричит: где стерлядь, мед, анисовая водка? Кто разорил державу, басурмане?!. И так далее. Сейчас мы едем на Васильевский остров. Простите, мы на «вы»?

— На «ты», естественно.

— Едем на Васильевский остров. Там ждет нас Букина с машиной.

— Кто это — Букина?

— Экспедитор с «Леннаучфильма». У нее казенный микроавтобус. Сказала, будет после работы. Интеллигентнейшая женщина. Вместе сценарий писали. На квартире у приятеля... Короче, едем на Васильевский. Снимаем первые кадры. Царь движется от Стрелки к Невскому проспекту. Он в недоумении. То и дело замедляет шаги, оглядывается по сторонам. Ты понял?.. Бойся автомобилей. Рассматривай вывески. В страхе обходи телефонные будки. Если тебя случайно заденут — выхватывай шпагу. Подходи ко всему этому делу творчески...

Шпага лежала у меня на коленях. Клинок был отпилен. Обнажать его я мог сантиметра на три.

Шлиппенбах возбужденно жестикулировал. Зато водитель оставался совершенно невозмутимым. И только в конце он дружелюбно поинтересовался:

— Мужик, ты из какого зоопарка убежал?

— Потрясающе! — закричал Шлиппенбах. — Готовый кадр!..

Мы вылезли с ящиками из такси. У противоположного тротуара стоял микроавтобус. Рядом прогуливалась барышня в джинсах. Мой вид ее не заинтересовал.

— Галина, ты прелесть, — сказал Шлиппенбах. — Через десять минут начинаем.

— Горе ты мое, — откликнулась барышня.

Затем они минут двадцать возились с аппаратурой. Я прогуливался вдоль здания бывшей Кунсткамеры. Прохожие разглядывали меня с любопытством.

С Невы дул холодный ветер. Солнце то и дело пряталось за облаками.

Наконец Шлиппенбах сказал — готово. Галина налила себе из термоса кофе. Крышка термоса при этом отвратительно скрипела.

— Иди вон туда, — сказал Шлиппенбах, — за угол. Когда я махну рукой, двигайся вдоль стены.

Я перешел через дорогу и стал за углом. К этому времени мои сапоги окончательно промокли. Шлиппенбах все медлил. Я заметил, что Галина протягивает ему стакан. А я, значит, прогуливаюсь в мокрых сапогах.

Наконец Шлиппенбах махнул рукой. Камеру он держал наподобие алебарды. Затем поднес ее к лицу.

Я потушил сигарету, вышел из-за угла, направился к мосту.

Оказалось, что когда тебя снимают, идти неловко. Я делал усилия, чтобы не спотыкаться. Когда налетал ветер, я придерживал шляпу.

Вдруг Шлиппенбах начал что-то кричать. Я не расслышал из-за ветра, остановился, перешел через дорогу.

— Ты чего? — спросил Шлиппенбах.

— Я не расслышал.

— Чего ты не расслышал?

— Вы что-то кричали.

— Не вы, а ты.

— Что ты мне кричал?

— Я кричал — гениально! Больше ничего. Давай, иди снова.

— Хотите кофе? — наконец-то спросила Галина.

— Не сейчас, — остановил ее Шлиппенбах, — после третьего дубля.

Я снова вышел из-за угла. Снова направился к мосту. И снова Шлиппенбах мне что-то крикнул. Я не обратил внимания.

Так и шел до самого парапета. Наконец оглянулся. Шлиппенбах и его подруга сидели в машине. Я поспешил назад.

— Единственное замечание, — сказал Шлиппенбах, — побольше экспрессии. Ты должен всему удивляться. С недоумением разглядывать плакаты и вывески.

— Там нет плакатов.

— Не важно. Я это все потом смонтирую. Главное — удивляйся. Метра три пройдешь — всплесни руками...

В итоге Шлиппенбах гонял меня раз семь. Я страшно утомился. Штаны под камзолом спадали. Курить в перчатках было неудобно.

Но вот мучения кончились. Галина протянула мне термос. Затем мы поехали на Таврическую.

— Там есть пивной ларек, — сказал Шлиппенбах, — даже, кажется, не один. Вокруг толпятся алкаши. Это будет потрясающе. Монарх среди подонков...

Я знал это место. Два пивных ларька, а между ними рюмочная. Неподалеку от театрального института. Действительно пьяных сколько угодно.

Автобус мы загнали в подворотню. Там же были сделаны все приготовления.

После этого Шлиппенбах горячо зашептал:

— Мизансцена простая. Ты приближаешься к ларьку. С негодованием разглядываешь всю эту публику. Затем произносишь речь.

— Что я должен сказать?

— Говори что попало. Слова не имеют значения. Главное — мимика, жесты...

— Меня примут за идиота.

— Вот и хорошо. Произноси что угодно. Узнай насчет цены.

— Тем более меня примут за идиота. Кто же цен не знает? Да еще на пиво.

— Тогда спроси их — кто последний? Лишь бы губы шевелились, а уж я потом смонтирую. Текст будет позже записан на магнитофонную ленту. Короче, действуй.

— Выпейте для храбрости, — сказала Галина.

Она достала бутылку водки. Налила мне в стакан из-под кофе.

Храбрости у меня не прибавилось. Однако я вылез из машины. Надо было идти.

Пивной ларек, выкрашенный зеленой краской, стоял на углу Ракова[1] и Моховой. Очередь тянулась вдоль газона до самого здания райпищеторга.

Возле прилавка люди теснились один к другому. Далее толпа постепенно редела. В конце она распадалась на десяток хмурых замкнутых фигур.

Мужчины были в серых пиджаках и телогрейках. Они держались строго и равнодушно, как у посторонней могилы. Некоторые захватили бидоны и чайники.

Женщин в толпе было немного, пять или шесть. Они вели себя более шумно и нетерпеливо. Одна из них выкрикивала что-то загадочное:

— Пропустите из уважения к старухе-матери!..

---

[1] На самом деле ларек находился на углу Белинского и Моховой *(примеч. ред.)*.

Достигнув цели, люди отходили в сторону, предвкушая блаженство. На газон летела серая пена.

Каждый нес в себе маленький личный пожар. Потушив его, люди оживали, закуривали, искали случая начать беседу.

Те, что еще стояли в очереди, интересовались:

— Пиво нормальное?

В ответ звучало:

— Вроде бы нормальное...

Сколько же, думаю, таких ларьков по всей России? Сколько людей ежедневно умирает и рождается заново?

Приближаясь к толпе, я испытывал страх. Ради чего я на все это согласился? Что скажу этим людям — измученным, хмурым, полубезумным? Кому нужен весь этот глупый маскарад?!.

Я присоединился к хвосту очереди. Двое или трое мужчин посмотрели на меня без всякого любопытства. Остальные меня просто не заметили.

Передо мной стоял человек кавказского типа в железнодорожной гимнастерке. Левее — оборванец в парусиновых тапках с развязанными шнурками. В двух шагах от меня, ломая спички, прикуривал интеллигент. Тощий портфель он зажал между коленями.

Положение становилось все более нелепым. Все молчат, не удивляются. Вопросов мне не задают. Какие могут быть вопросы? У всех единственная проблема — опохмелиться.

Ну что я им скажу? Спрошу их — кто последний? Да я и есть последний.

Кстати, денег у меня не было. Деньги остались в нормальных человеческих штанах.

Смотрю — Шлиппенбах из подворотни машет кулаками, отдает распоряжения. Видно, хочет, чтобы я действовал сообразно замыслу. То есть надеется, что меня ударят кружкой по голове.

Стою. Тихонько двигаюсь к прилавку.

Слышу — железнодорожник кому-то объясняет:

— Я стою за лысым. Царь за мной. А ты уж будешь за царем...

Интеллигент ко мне обращается:

— Простите, вы знаете Шердакова?

— Шердакова?

— Вы Долматов?

— Приблизительно.

— Очень рад. Я же вам рубль остался должен. Помните, мы от Шердакова расходились в День космонавта? И я у вас рубль попросил на такси. Держите.

Карманов у меня не было. Я сунул мятый рубль в перчатку.

Шердакова я действительно знал. Специалист по марксистско-ленинской эстетике, доцент театрального института. Частый посетитель здешней рюмочной...

— Кланяйтесь, — говорю, — ему при встрече.

Тут приближается к нам Шлиппенбах. За ним, вздыхая, движется Галина.

К этому времени я был почти у цели. Людская масса уплотнилась. Я был стиснут между оборванцем и железнодорожником. Конец моей шпаги упирался в бедро интеллигента.

Шлиппенбах кричит:

— Не вижу мизансцены! Где конфликт?! Ты должен вызывать антагонизм народных масс!

Очередь насторожилась. Энергичный человек с кинокамерой внушал народу раздражение и беспокойство.

— Извиняюсь, — обратился к Шлиппенбаху железнодорожник, — вас здесь не стояло!

— Нахожусь при исполнении служебных обязанностей, — четко реагировал Шлиппенбах.

— Все при исполнении, — донеслось из толпы.

Недовольство росло. Голоса делались все более агрессивными:

— Ходят тут всякие сатирики, блядь, юмористы...

— Сфотографируют тебя, а потом — на доску... В смысле — «Они мешают нам жить...».

— Люди, можно сказать, культурно похмеляются, а он нам тюльку гонит...

— Такому бармалею место у параши...

Энергия толпы рвалась наружу. Но и Шлиппенбах вдруг рассердился:

— Пропили Россию, гады! Совесть потеряли окончательно! Водярой залили глаза, с утра пораньше!..

— Юрка, кончай! Юрка, не будь идиотом, пошли! — уговаривала Шлиппенбаха Галина.

Но тот упирался. И как раз подошла моя очередь. Я достал мятый рубль из перчатки. Спрашиваю:

— Сколько брать?

Шлиппенбах вдруг сразу успокоился и говорит:

— Мне большую с подогревом. Галке — маленькую.

Галина добавила:

— Я пива не употребляю. Но выпью с удовольствием...

Логики в ее словах было маловато.

Кто-то начал роптать. Оборванец пояснил недовольным:

— Царь стоял, я видел. А этот пидор с фонарем — его дружок. Так что все законно!

Алкаши с минуту поворчали и затихли.

Шлиппенбах переложил камеру в левую руку. Поднял кружку:

— Выпьем за успех нашей будущей картины! Истинный талант когда-нибудь пробьет себе дорогу.

— Чучело ты мое, — сказала Галя...

Когда мы задом выезжали из подворотни, Шлиппенбах говорил:

— Ну и публика! Вот так народ! Я даже испугался. Это было что-то вроде...

— Полтавской битвы, — закончил я.

Переодеваться в автобусе было неудобно. Меня отвезли домой в костюме государя императора.

На следующий день я повстречал Шлиппенбаха возле гонорарной кассы. Он сообщил мне, что хочет заняться правозащитной деятельностью. Таким образом, съемки любительского фильма прекратились.

Театральный костюм потом валялся у меня два года. Шпагу присвоил соседский мальчишка. Шляпой мы натирали полы. Камзол носила вместо демисезонного пальто экстравагантная женщина Регина Бриттерман. Из бархатных штанов моя жена соорудила юбку.

Шоферские перчатки я захватил в эмиграцию. Я был уверен, что первым делом куплю машину. Да так и не купил. Не захотел.

Должен же я чем-то выделяться на общем фоне! Пускай весь Форест-Хиллс знает «того самого Довлатова, у которого нет автомобиля»!

ПОСЛЕСЛОВИЕ

«Чемодан» — самый характерный из довлатовских сборников, подобный жанр связанных житейской несуразицей сюжетов писатель собирался развивать в дальнейшей работе. Вслед за «Чемоданом» должен был последовать «Холодильник» и затем цикл новелл о превратностях любви. Увы, работа прервалась на «Холодильнике», когда для новой книги было написано только два рассказа. 24 августа 1990 года Сергей Довлатов умер в Нью-Йорке. Через две недели «Чемодан» вышел по-английски, там же в Нью-Йорке — в известном издательстве «Grove Weidenfeld». По-русски книга впервые появилась в эмигрантском «Эрмитаже» в 1986 году. Перед этим рассказы, вошедшие в нее, печатались в зарубежной русской периодике. Писались они уже в Нью Йорке.

Могу засвидетельствовать: уезжал Довлатов в эмиграцию с багажом, мало чем отличным от описанного в книге. Кроме чемодана с барахлом, он захватил с собой лишь несколько книг. Плюс клетку с фокстерьером Глашей. Припасенная «на всякий случай» бутылка водки опорожнилась еще в воздушном пространстве СССР.

Единственный вид комфорта, который превозносил Довлатов, — это комфорт человеческого общения, комфорт беседы. Поэтому и себя называл неизменно не «писателем», но «рассказчиком». Обосновал это предпочтение и теоретически: «Рассказчик говорит о том, как живут люди, прозаик говорит о том, как должны жить люди, а писатель — о том, ради чего живут люди».

В таком понимании Довлатов «писателем» действительно не был. Его аналитическая проза жива не тонкостями априорных суждений, а энергией конкретных размышлений и наблюдений.

Довлатов писал о том, *как люди не умеют жить, оставаясь при этом — свободными людьми*. Главное в его историях — исследование единственного надежного инструмента свободы — языка. Только в диалоге свобода выявляет себя адекватно.

Сергей Довлатов от первого грустно усмехающегося лица рассказал историю своей, а как теперь ясно и нашей с вами, пропащей жизни. Его герой-рассказчик прежде всего не ангел. Но по обезоруживающей причине: лишь падшим, смирившим гордыню внятен «божественный глагол». При заниженном уровне самооценки рассказчика это обстоятельство сообщает довлатовской художественной манере обаяние и остроту.

С точки зрения официальных культуроохранителей, рассказчика довлатовских историй иначе как диссидентствующим охламоном не назовешь. Да и сам автор чувствовал себя в своей тарелке преимущественно среди публики идеологически нечистой.

Но кто чист и кто нечист на самом деле?

По довлатовской художественной логике тот, кто считает лишь свои (на самом деле, конечно, благоприобретенные) воззрения истинными, не подверженными сомнениям, нечист духом в большей степени, чем последний доходяга у пивного ларька. Не они, не те, кто стоят в похмельной очереди, столь красочно изображенной в «Шоферских перчатках», — не они являются у Довлатова носителями рабской психологии. Критическая подоплека довлатовских рассказов проникнута истинно демократическим пафосом.

Андрей Арьев

СОДЕРЖАНИЕ

Довлатов С.

Д 58 Чемодан : рассказы / Сергей Довлатов. — СПб. : Азбука, Азбука-Аттикус, 2020. — 160 с. — (Азбука-классика).

ISBN 978-5-389-01554-8

Сергей Довлатов — один из самых популярных и читаемых русских писателей конца XX — начала XXI века. Его повести, рассказы, записные книжки переведены на множество языков, экранизированы, изучаются в школе и вузах. Удивительно смешная и одновременно пронзительно-печальная проза Довлатова давно стала классикой и роднит писателя с такими мастерами трагикомической прозы, как А. Чехов, Тэффи, А. Аверченко, М. Зощенко.

«Чемодан» — один из самых характерных довлатовских сборников, посвященный, по словам автора, «содержимому эмигрантского чемодана». Вот как сам Довлатов описывал свою книгу: «В центре новой книги Довлатова — чемодан, обыкновенный потрепанный чемодан, с которым эмигрант Довлатов покинул родину. Распаковав его после нескольких месяцев скитаний, герой убеждается, что за каждой вещью, находящейся в чемодане, стоит драматическая, смешная или нелепая история».

Все рассказы печатаются с учетом последней авторской правки.

УДК 821.161.1
ББК 84(2Рос-Рус)6-44

Литературно-художественное издание

СЕРГЕЙ ДОВЛАТОВ
ЧЕМОДАН

Художественный редактор Валерий Гореликов
Технический редактор Татьяна Раткевич
Компьютерная верстка Ольги Варламовой
Корректор Анастасия Келле-Пелле
Главный редактор Александр Жикаренцев

Издание предназначено для распространения
на территории Российской Федерации

Подписано в печать 05.12.2019. Формат издания 75 × 100 $^{1}/_{32}$.
Печать офсетная. Тираж 7000 экз. Усл. печ. л. 7,05.
Заказ № 9334/19.

Знак информационной продукции
(Федеральный закон № 436-ФЗ от 29.12.2010 г.): 18+

ООО «Издательская Группа „Азбука-Аттикус“» —
обладатель товарного знака АЗБУКА®
115093, г. Москва, ул. Павловская, д. 7, эт. 2, пом. III, ком. № 1

Филиал ООО «Издательская Группа „Азбука-Аттикус“»
в Санкт-Петербурге
191123, г. Санкт-Петербург, Воскресенская наб., д. 12, лит. А

ЧП «Издательство „Махаон-Украина“»
Тел./факс: (044) 490-99-01. E-mail: sale@machaon.kiev.ua

Отпечатано в соответствии с предоставленными материалами
в ООО «ИПК Парето-Принт».
170546, Тверская область, Промышленная зона Боровлево-1,
комплекс № 3А.
www.pareto-print.ru

ПО ВОПРОСАМ РАСПРОСТРАНЕНИЯ ОБРАЩАЙТЕСЬ:

В МОСКВЕ

ООО «Издательская Группа „Азбука-Аттикус“»

Тел.: (495) 933-76-01,
факс: (495) 933-76-19

e-mail: sales@atticus-group.ru;
info@azbooka-m.ru

В САНКТ-ПЕТЕРБУРГЕ

Филиал ООО «Издательская Группа „Азбука-Аттикус“»

Тел.: (812) 327-04-55,
факс: (812) 327-01-60

e-mail: trade@azbooka.spb.ru

В КИЕВЕ

ЧП «Издательство „Махаон-Украина“»

Тел./факс: (044) 490-99-01

e-mail: sale@machaon.kiev.ua

Информация о новинках и планах на сайтах:

www.azbooka.ru
www.atticus-group.ru

Информация по вопросам приема рукописей
и творческого сотрудничества
размещена по адресу:
www.azbooka.ru/new_authors/